L'ELFE
AU DRAGON
1 · LES MARAUDEURS D'ISULDAIN ·

À Nathalie, qui raffole des vols à dos de dragon.

Blog d'information sur *L'Elfe au dragon* : http://elfeaudragon.canalblog.com

Illustrations : Laurent Miny
Graphisme : Lorette Mayon

© Éditions du Seuil, 2009
ISBN : 978-2-02-098816-2
N° : 098816-1

· ARTHUR TÉNOR ·

L'ELFE AU DRAGON

1 · LES MARAUDEURS D'ISULDAIN ·

Seuil
jeunesse

EN CE TEMPS-LÀ, régnait une drôle de paix sur les immensités de l'empire d'Isuldain.

Les peuples, aussi nombreux que différents, étaient parvenus à délimiter leur territoire et à s'y fixer sans trop lorgner sur celui des voisins. Les grandes invasions des hordes nordiques avaient été contenues et même repoussées au-delà du Cercle de glace. Quant aux attaques venues des Terres Obscures, elles avaient cessé après la mort du seigneur Kor et les terribles batailles qui avaient décimé ses orques et autres monstres malfaisants.

Chacun savait que cet édifice complexe de fiefs, nations et territoires, ne tenait que grâce à la solidité d'un seul pilier, l'empereur Isuldain. Dans son infinie sagesse, le souverain avait su imposer un règne de justice et de respect des équilibres. Jamais il ne se mêlait des affaires intimes des peuples, et n'intervenait avec ses armées que si un conflit menaçait la fragile stabilité qui régnait sur ses terres depuis la fin des guerres.

Parmi les communautés sur lesquelles l'empereur pouvait compter, il y avait les elfes. Certes pas tous, car certains étaient si sauvages qu'il était impossible d'entretenir avec eux des relations politiques et diplomatiques, encore moins commerciales. Ceux qui contribuaient le mieux à la préservation de la paix étaient le peuple d'Eldrin, de la forêt d'Ambre, les grands elfes des Songes qui occupaient les forêts les plus méridionales de l'Empire, et les Sentinelles d'Oriadith.

Ces derniers étaient établis depuis la nuit des temps sur le versant ouest de hautes montagnes rocheuses qu'on appelait les Crocs d'Oriadith. Outre leur fabuleuse habileté de grimpeurs et leur vue perçante, ils se distinguaient par leur alliance avec les aigles.

C'est à cette communauté qu'appartenait le jeune Kendhil. Comme ses semblables, il avait une magnifique chevelure brune et les oreilles légèrement pointues. Il était aussi agile qu'eux et sensible aux moindres frémissements de la nature. Comme eux encore, il savait anticiper les mouvements des animaux, capter leurs vibrations et même communiquer avec les plus évolués. Pourtant, il leur semblait différent... au point d'être plutôt accepté que membre à part entière de leur communauté.

L'explication tenait au mystère de son origine, car chez les Sentinelles, chaque individu appartenait à une lignée parfois si ancienne qu'on pouvait en avoir le vertige. Or, Kendhil n'avait ni père ni mère ni frère ni sœur connus. Il était là et on se demandait bien pourquoi. Seul le vénérable Endh, de la lignée Findhit, aurait pu lever le voile sur cette énigme, mais au seuil de son seizième âge[1], il avait quitté ce monde sans rien révéler de ce qu'il savait. Kendhil, alors au premier âge de l'elfance[2], fut recueilli par Endhis, fils de Endh. Celui-ci accepta, plus qu'il ne l'adopta, ce poupon « hors lignée ».

*Les origines obscures de Kendhil expliquaient assu-
rément certaines tendances que nul autre Sentinelle
n'avait jamais manifestées. Par exemple, il portait un
grand intérêt aux humains qu'il se plaisait à observer,
non point pour les surveiller, mais pour les comprendre.
Les particularités de lignage et de caractère de cet elfon²
n'auraient cependant pas suffi à le rendre si différent
aux yeux de ses semblables. Il y avait donc autre chose,
un élément qui l'avait définitivement marginalisé. Les
Sentinelles d'Oriadith n'avaient jamais fait alliance
avec d'autres créatures que les aigles. Kendhil, lui, avait
choisi... un dragon ! Certes, il ne l'avait pas fait exprès,
mais c'était pousser un peu loin la singularité.*

*Avec un tel profil, il n'était pas étonnant que
Kendhil, à peine entré dans le sixième âge elfique¹, fût
destiné à vivre une existence hors norme...*

---

1. Les elfes Sentinelles ne comptent pas le vieillissement
en fonction des années passées. Ils distinguent des « âges »,
correspondant à différentes périodes de leur existence. Ainsi,
quand les humains disent « bébé », les elfes parlent de premier et de deuxième âge. Le sixième âge correspond à l'adoles-
cence, entre 15 et 17 ans, le seizième à la grande vieillesse. À
l'échelle terrestre, un elfe Sentinelle peut vivre plus d'un siècle
et demi.

2. En langue elfique, l'elfon désigne un garçon, l'elfide une
fille et l'elfant un enfant.

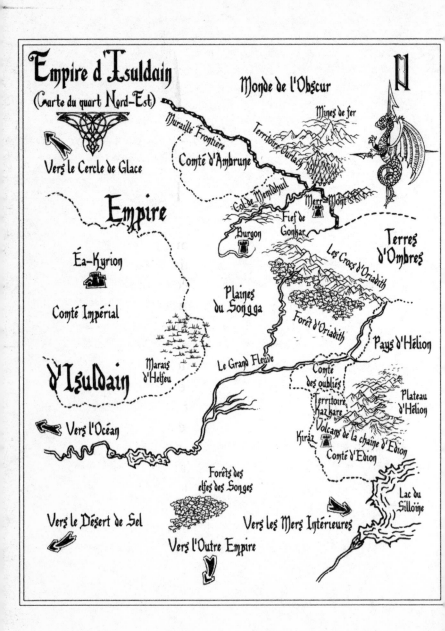

•1•

LES SENTINELLES
D'ORIADITH

Ce matin-là, Kendhil fut debout aux premières lueurs roses du jour. Un mauvais rêve l'avait tiré prématurément du sommeil. Pourquoi cela lui arrivait-il, alors que les autres ignoraient ce genre de phénomène déplaisant ? Il préféra couper court à cette question qui, chaque fois, en suscitait tant d'autres sans jamais mener à la moindre réponse.

Quelques secondes lui suffirent pour vêtir sa nudité laiteuse d'une tenue vert sombre, presque noir, de Sentinelle. Il serra fermement les liens de la cotte en cuir d'écorce qu'il avait passée par-dessus sa chemise de laine végétale. Il avait chassé les images de son rêve, afin qu'elles n'assombrissent pas son humeur. Malgré tout, subsistait en lui l'empreinte des émotions qu'elles avaient suscitées, telle l'odeur nauséabonde qui flotte dans le sillage d'un orque. Kendhil s'empressa de sortir sur la terrasse pour que la fraîcheur humide de l'aube le saisisse au visage et caresse de ses doigts invisibles sa longue chevelure noire. Appuyé sur la rambarde, formée d'un savant entrelacs de branches, il contempla longuement à travers les feuillages le panorama brumeux des plaines du Songga.

Les Sentinelles avaient construit leurs habitations dans les plus gigantesques arbres des bois, qui couvraient les premières pentes des Crocs d'Oriadith. Elles étaient si subtilement imbriquées dans ces architectures végétales, qu'elles passaient inaperçues du voyageur distrait et, au-delà d'une lieue[1], de tout autre regard. Certaines multipliaient les terrasses et les pièces couvertes, les passerelles et les volées de marches ; c'étaient les demeures des plus anciennes lignées, dont celle des Findhil qui avait adopté Kendhil. L'elfon vivait donc dans l'un de ces palais suspendus, au plus haut de l'arbre où lui avait été aménagée une dépendance séparée, exposée aux vents des cimes... pour sa plus grande satisfaction. Il esquissa un sourire, puis soudain quitta la terrasse. Tel un écureuil qui aurait repéré la chute d'une noix, il dévala l'arbre familial en un temps record. Un dernier saut depuis une courte plate-forme, et il toucha le sol capitonné d'une mousse moelleuse, d'un vert aussi sombre que sa tenue. Il demeura immobile quelques instants, en tension, à demi accroupi, comme aux aguets. Et

1. Une lieue équivaut à environ 4 kilomètres.

 10

tout à coup, il repartit. Avec une souplesse de félin, il courut vers les hauteurs de la montagne.

Juste avant qu'il ne franchisse l'orée de la forêt et ne s'élance sur l'alpage, Kendhil poussa un puissant cri aigu, qui pouvait aisément se confondre avec celui des aigles d'Oriadith. Sans s'accorder un instant de pause, il accéda au premier plateau rocheux qui surplombait le territoire des Sentinelles. Là, il ne se retourna que le temps de pousser un nouveau cri, qui s'éleva plus haut encore que le précédent. Il reprit son ascension, attaquant la paroi rocheuse qui, à certains endroits, était un véritable mur gris zébré de rares fissures. Désormais, chaque mouvement devait être précis, chaque prise assurée, chaque pensée distrayante chassée.

À mesure qu'il s'élevait, que le vent se faisait plus batailleur, le froid plus mordant, la pierre plus rebelle, l'euphorie le gagnait. Jamais davantage que dans ces fougueuses escalades, il ne se sentait Sentinelle d'Oriadith. Il n'y avait qu'en bas, avec les « siens », que le doute subsistait, inscrit dans leur regard.

Enfin, il accéda à son but, non pas le sommet d'un des nombreux Crocs de la chaîne, car il lui eût fallu plusieurs jours pour conquérir le moins élevé, mais une corniche d'une centaine de coudées carrées, surplombant le vide, telle la proue d'un navire au-dessus des flots. À bout de souffle mais heureux, il contempla longuement un panorama qui n'était familier qu'aux meilleurs grimpeurs, et bien sûr aux créatures ailées. Parmi ces dernières, il y avait, paraît-il, les elfes des monts du Dédain. On racontait qu'ils étaient minuscules, pas plus hauts que trois pommes de pin. On les croyait dotés de pouvoirs magiques, tel celui de faire parler les bêtes. On racontait tant de choses étranges ou fabuleuses, sur eux comme sur bien d'autres peuples aussi extraordinaires ! Kendhil était dévoré par la tentation de parcourir l'Empire, de découvrir ses richesses et ses mystères. Cela contribuait à sa singularité parmi les siens. A-t-on jamais vu un Sentinelle aspirer à voir le monde autrement que de loin ? L'elfon éclata de rire. Soudain, il fit volte-face et courut s'adosser à la paroi rocheuse. Après un court moment de concentration, il gonfla ses poumons et poussa un troisième cri. Il eut un nouveau rire, puis s'élança à toutes jambes sur l'escarpement. Parvenu à la pointe, il ne s'arrêta pas et sauta dans le vide, l'embrassant de ses bras grands ouverts.

Hurlant de bonheur, il se laissa ainsi chuter dans l'abîme.

• 2 •
LE PRESSENTIMENT
D'ERRINDHA

Les Sentinelles n'avaient pas d'ailes... sauf Kendhil ! Elles surgirent entre les parois abruptes d'un défilé, virèrent au-dessus des bois d'Oriadith, puis soudain se replièrent à demi pour fondre sur la minuscule silhouette humaine qui chutait à une vitesse démentielle. C'est ainsi que, tel un oiseau de proie chassant un moineau, le dragon d'Hélion saisit au vol l'elfe Kendhil. Celui-ci, après s'être libéré de la serre, grimpa le long de la patte monstrueusement musclée de son alter ego, puis s'agrippa à son cou écailleux. Il finit par s'installer sur son dos entre deux ailes membranées qui battirent avec une puissance redoublée pour retrouver une position stable.

« Tu en a mis du temps, Karlo, j'ai failli avoir peur ! se plaignit Kendhil, cependant radieux.

– Tu me la refais une fois, celle-là, et c'est avec les dents que je te rattrape ! » maugréa l'intéressé.

L'elfe et le dragon communiquaient essentiellement par la voix. Celle de Karlo était grave et rocailleuse. Rassurante ou, selon son humeur, terrifiante, elle impressionnait toujours. En de rares occasions, il leur arrivait d'échanger des pensées, comme des jumeaux si intimement liés qu'ils se comprennent sans avoir besoin de parler.

« Qu'est-ce qui nous vaut ce saut de bonne humeur ? » demanda Karlo.

À la manière des aigles, dont certains avaient quitté leur aire, alertés par l'apparition de ce drôle d'oiseau sur leur territoire, il se laissait porter par les courants ascendants, ses grandes ailes largement déployées. Vu du sol, on pouvait le confondre avec un dragon noir, ces féroces spécimens qu'on ne trouvait que dans les Terres Obscures. Karlo avait en effet le ventre d'un brun-rouge très foncé. Vu du ciel, on eût plutôt dit un oiseau de feu, tant les écailles de son dos flamboyaient, surtout par temps très clair comme ce matin-là.

« Rien de spécial, répondit Kendhil, juste une petite envie de sensations fortes pour me réveiller. »

Le dragon se tordit le cou pour considérer son passager d'un œil sévère.

« Des sensations fortes, mm... » gronda-t-il.

L'elfon changea d'expression.

« Attention, Karlo... Karlooo ! »

Le dragon replia ses ailes, si bien qu'il chuta d'un coup dans le vide. Kendhil réussit de justesse à s'accrocher à son cou et se retrouva cul par-dessus

tête. Soudain, le monstre rouvrit les ailes, juste avant de raser la cime des frondaisons qu'il fit frémir. Il monta à la verticale, resta suspendu le temps d'un clignement de paupières, puis partit à la renverse.

« Karlooo ! Ça suffiiiit ! »

Looping, vrille, nouvelle chandelle... et pour finir, vol en piqué qui s'acheva par un atterrissage en douceur dans un pré fleuri, en lisière de forêt.

« Et voilà ! Le jeune maître est-il satisfait ? demanda le dragon, un brin railleur.

– Ouf ! souffla Kendhil. Je suis tout à fait réveillé, maintenant. »

Il remercia son fougueux destrier des airs, puis sauta à terre. Il lui fallut quelques instants pour retrouver un pied ferme. Aucun elfe à sa connaissance, pensa-t-il, n'aurait supporté un tel traitement. Il ne pouvait s'empêcher d'éprouver un curieux sentiment, inconnu des Sentinelles, que les humains appellent *fierté*. Une singularité de plus.

Kendhil fronça brusquement les sourcils. Karlo le remarqua.

« Qu'y a-t-il ? » s'enquit-il.

En guise de réponse, le jeune elfe scruta l'orée de la forêt. Instinctivement, le dragon émit un grondement, et ses narines proéminentes se dilatèrent. Puis il inspira profondément en relevant la tête et identifia, sans l'ombre d'un doute, l'odeur de cet invisible observateur que son ami avait détecté en utilisant un autre sens, le sixième. En revanche, le dragon fut incapable de le localiser.

« Il n'est pas loin, murmura-t-il, mais où ?

– Moi, je sais, annonça Kendhil en fixant un arbre un peu plus volumineux que les autres.

– On lui fait peur ?

– Au contraire ! On le rassure. Tu veux bien faire le gentil dragon ronronnant, s'il te plaît ? »

Karlo n'était pas plus fier qu'un spécimen moyen de son espèce, mais il détestait qu'on le prenne pour un « gentil dragon ». Il décida malgré tout de se montrer conciliant, à sa manière. Il se coucha sur l'herbe soyeuse du pré, puis prit l'air débonnaire d'un chat de salon. Cependant, son ronronnement ressemblait davantage à un grognement de chien hargneux. Kendhil croisa les bras, puis interpella le présumé espion :

« Bonjour, Errindha ! Un petit vol à dos de dragon te tenterait-il ? »

Dix secondes passèrent. Quelque chose finit par bouger dans le feuillage de l'arbre.

« Sûrement pas ! répondit une voix manifestement féminine. Peux-tu demander à ton monstre de bien vouloir s'éloigner ? J'ai quelque chose à te dire. »

Le monstre en question releva vivement la tête, puis fit claquer ses mâchoires hérissées de crocs

acérés, capables de broyer un troll de dix pieds[1] de tour de ventre.

« C'est de moi qu'on parle ? » grommela-t-il.

Kendhil sourit, puis répliqua à la méfiante visiteuse :

« Tu sais bien que tu n'as rien à craindre de Karlo. Serais-tu peureuse ? »

Comme piquée au vif, une elfe quitta soudain le couvert des arbres. Elle approcha d'un pas décidé, le menton relevé, ses fins sourcils noirs froncés. Cependant, Kendhil ne manqua pas de remarquer les regards inquiets qu'elle lançait à la dérobée vers le dragon.

« Non, mais je déteste son odeur ! » mentit-elle.

Karlo était un dragon d'Hélion, c'est-à-dire d'une propreté méticuleuse. Il n'avait de ce fait jamais à se reprocher la moindre puanteur animale.

« Mon odeur ? Qu'est-ce qu'elle a, mon odeur ? » gronda-t-il.

En vérité, il avait parfaitement compris qu'il impressionnait cette jeune créature. Aussi consentit-il à s'envoler, non sans y aller d'une boutade :

« Je vais chasser. Il doit bien y avoir quelque elfe tendre à croquer dans les parages. »

Errindha se planta devant Kendhil, bras croisés. Sa longue chevelure noire était maintenue sur sa nuque par une feuille nacrée, dont le dessin unique

---

1. Le pied équivaut à environ 33 centimètres.

identifiait sa lignée. Kendhil se laissa dévisager avec complaisance par les yeux émeraude de l'elfide.

« C'est tout de même mieux de se retrouver entre elfes, bien que je n'aie rien contre ton... aigle. »

Kendhil se rembrunit.

« Quel est ton message ? »

Elle baissa les yeux, suggérant qu'elle le délivrait à contrecœur.

« Guenth l'Ancien doit se rendre aujourd'hui chez les humains de Burgon, afin d'y acquérir du fer, et il te propose de l'accompagner. »

Un large sourire illumina le visage de Kendhil.

« Vraiment ? C'est merveilleux ! Viendras-tu avec nous ?

– Sûrement pas ! Qu'irais-je faire chez ces créatures ?

– Dis-toi que certaines de ces créatures, comme tu dis, valent mieux que certains d'entre nous.

– Ah oui ? Comment le sais-tu ?

– Je n'ai pas besoin de le savoir. Je le crois parce que, comme les elfes, ils ont une âme qui peut être lumineuse...

– Ou ténébreuse.

– Sans doute. Bon, j'y vais. Merci pour le message. »

Comme il se mettait en marche, elle le retint par le bras.

« Finalement, dit-elle, j'accepte de faire un tour dans les airs avec ton aigle.

– Oh ! Tu es sûre ?

– Un petit.

– Entendu, j'appelle Karlo.

– Avec toi.

– Alors ce sera plus tard. Car j'ai rendez-vous avec les hommes ! »

Et le jeune elfe s'élança vers la forêt, plantant là sa camarade qui n'en fut pas vexée car, chez les Sentinelles, on ne se pique pas pour un rien. En revanche, elle éprouvait un pénible pressentiment, l'intuition d'une menace pesant sur ce voyage.

· 3 ·
LA VILLE MINIÈRE
DE BURGON

Guenth l'Ancien était le doyen des Sentinelles. Pourtant, il conservait une vigueur qu'auraient pu lui envier bien des elfes de sa génération, s'ils avaient été envieux. À l'approche de la transfose[1], que les hommes nomment la mort, il gardait un visage clair, presque sans ride, et un regard aussi incisif qu'un elfe chasseur des plaines du Songga. Seule sa chevelure, devenue blanche avec de singuliers reflets bleutés, indiquait qu'il avait passé le seizième âge. Il patientait au pied de l'arbre-maison des Findhit, une grande cape d'un vert profond sur les épaules et, pour tout bagage, une simple sacoche de toile brune. Il portait aussi une épée courte, au côté.

« Me voici, Vénérable Guenth ! lança Kendhil en approchant d'un pas alerte.

– Je vois cela. Va prendre ta cape et ta dague.

1. Les elfes ne meurent pas, ils se transforment. C'est ce phénomène qu'on appelle la transfose.

– Ma dague ? s'étonna l'elfon.

– Oui. Fais vite, nous avons un long chemin à parcourir. »

Troublé, Kendhil se hâta de grimper dans sa chambre récupérer ses affaires, dont sa cape et sa dague. En bouclant autour de sa taille la ceinture de cuir noir à laquelle était fixé le fourreau contenant sa lame elfique, il éprouva une vive émotion. C'était la première fois qu'il s'armait pour une autre occasion que les cérémonies rituelles de la communauté. Cette lame lui avait été léguée par son grand-père adoptif, qui lui-même l'avait héritée de son propre aïeul. Il se demandait quel sens subtil pouvait avoir ce voyage surprise chez les humains... Mais, au fond, ne venait-il pas d'entrer dans l'âge de la maturité elfique ?

Heureux et tendu, tel un aiglon quittant le nid pour un premier envol, il rejoignit l'Ancien. Celui-ci le considéra avec un léger sourire ; il était satisfait.

« Partons », dit-il.

Après qu'ils eurent franchi la lisière de la forêt, Kendhil s'enhardit à demander :

« Vénérable, qu'allons-nous faire chez les humains ?

– Errindha ne te l'a pas dit ?

– Si... mais...

– Mais tu te demandes pourquoi j'ai souhaité que tu m'accompagnes... Parce que la prochaine fois, il se pourrait que ce soit toi qui accomplisses cette tâche. Tu en as les capacités, comme je les avais à ton âge.

– Vraiment ? »

Guenth laissa planer un silence avant d'expliquer :

« Ceux d'entre nous qui savent entretenir des relations avec les humains sont rares. Or, nous pensons que tu en es capable.

– Je vois », murmura Kendhil qui perçut cette aptitude comme un pénible rappel de sa singularité.

Le vieil elfe leva les yeux pour observer le ciel.

« Elgon est là, déclara-t-il en souriant. Et ton alter ego aussi, je vois. »

Kendhil scruta à son tour le ciel. Il n'aurait pas su dire, parmi la dizaine de minuscules silhouettes noires qui se déplaçaient lentement en cercle sur l'azur, laquelle était l'aigle du Vénérable, mais il repéra immédiatement Karlo.

« Il veillera sur nous », souffla-t-il comme pour lui-même.

Ce qui signifiait à l'adresse de l'Ancien qu'« un dragon, c'est certainement moins conventionnel qu'un aigle pour un Sentinelle, mais beaucoup plus efficace en cas de danger ».

Après quelques minutes de marche sur une lande de bruyère mauve, Kendhil aperçut au loin deux magnifiques équidés blancs galopant vers eux.

« Regardez, Vénérable, on dirait des chevaux de Kolphis ! s'écria-t-il.

– En effet. Ils sont à l'heure au rendez-vous. J'ai pensé que, pour voyager, il serait plus agréable de recourir à ces nobles amis. Aux yeux des humains, les chevaux de Kolphis (du nom de leur région d'origine) sont des bêtes sauvages indomptables, voire belliqueuses. En vérité, ils refusent simplement d'être asservis. Pourtant, ils adorent porter les voyageurs, surtout les elfes. Il suffit de le leur demander avec respect, comme à des êtres doués de raison. »

Quand ils furent là, Kendhil en rit de bonheur. C'étaient des coursiers d'une élégance remarquable : hauts et puissamment musclés, avec une robe immaculée et soyeuse. La fougue mariée à la grâce. Ils possédaient en outre, contrairement aux équidés domestiqués pour servir de monture, un regard d'une intelligence presque intimidante. Dès que les elfes eurent pris place sur leur dos, commença une chevauchée purement... jubilatoire !

Les deux Sentinelles parvinrent en vue de leur but peu avant le crépuscule. Ils mirent pied à terre dans une prairie, remercièrent et complimentèrent leurs montures qui se cabrèrent pour recevoir l'hommage. Puis le Vénérable leur donna rendez-vous pour le retour, le lendemain à l'aube.

Avant d'attaquer la dernière étape, Guenth et Kendhil s'accordèrent quelques minutes pour admirer le paysage. Vers le nord, l'horizon était barré d'une ligne ondulée de monts boisés, sinistres à cette heure, qui avaient été des volcans en un lointain passé. Devant, s'étendait ce qu'on appelait la Langue de Burgon, un vaste plateau qui s'interrompait brusquement en à-pic rocheux, au pied duquel coulait une rivière aux eaux tumultueuses. Le soleil rasant embrasait les remparts peu élevés de la ville, édifiés comme en défi à la pesanteur au bord le plus extrême du précipice. Un donjon lourd dominait une concentration de toitures noires. C'est là que vivait le seigneur de ce modeste fief, oublié du reste de l'Empire, et dont la richesse provenait d'une unique mine exploitée au cœur même de la cité. On y extrayait un fer, réservé à la fabrication des lames, auquel les Sentinelles savaient ajouter des propriétés supplémentaires, telle la brillance et une extrême dureté.

« C'est donc ici que nous allons, pensa tout haut Kendhil, une pointe d'inquiétude dans la voix.

– Ici, oui. Nous venons chercher de quoi forger trois dagues pour les elfants des lignées de Dorith et de Dendhar. »

Kendhil fut soudain pris d'impatience :

« Y allons-nous ?

– Nous y allons », approuva le Vénérable.

En moins d'une heure, ils avaient atteint la route qui, par un pont enjambant d'une seule arche la rivière, puis une série de virages en lacet, conduisait à la porte à double battant de Burgon. Ce portail monumental était entièrement en fer, luisant et noir. Même son huis en ogives était forgé dans ce métal. Pour le refermer, la nuit venue, il fallait réunir la force de pas moins de trente soldats, qui d'ailleurs s'étaient déjà rassemblés et attendaient l'ordre de leur supérieur.

« Nous arrivons juste à temps », constata Guenth l'Ancien.

Sans être inquiétés par les vigiles, ils s'engagèrent sous le châtelet d'entrée, en même temps qu'une dizaine de voyageurs et de marchands. Certains des gardes les considérèrent avec davantage de curiosité que de méfiance. Au passage, les deux elfes entendirent pourtant l'un d'eux maugréer :

« En voilà encore ! C'est pourtant pas jour de foire. »

Passé la herse, ils débouchèrent sur une place hexagonale, au centre de laquelle se dressait un puits.

« Que voulait dire ce soldat ? s'inquiéta Kendhil, en se retournant machinalement pour le regarder.

– Je l'ignore. Mais je ne crois pas que cela nous concernait. Les Sentinelles sont hautement estimés par les habitants de Burgon. Peut-être faisait-il allusion à ces humains arrivés en même temps que nous... Qu'importe, ce n'est pas notre affaire ! Viens, c'est par là que nous devons aller. »

Le Vénérable désigna de l'autre côté de la place une rue assez large et droite, qui s'enfonçait entre de hautes maisons en pierre grise. L'obscurité gagnant, des *éclaireurs* avaient commencé à allumer les flambeaux disposés un peu partout dans la ville, pour lui permettre de conserver une intense activité jusque tard dans la soirée. Les habitants vaquaient à leurs occupations comme en pleine journée, les marchands gardaient encore leurs boutiques ouvertes, éclairées parfois de petites lanternes. Les bonimenteurs bonimentaient au coin des rues, et les mendiants étaient nombreux à solliciter l'aumône. Des joueurs de fifre ou de mandoline achevaient de créer une atmosphère de jour de foire, ce qui n'était pas le cas, ainsi que l'avait fait remarquer le garde.

Kendhil éprouvait une sensation bizarre, presque dérangeante à ce spectacle inconnu. Car s'il avait déjà moult fois eu l'occasion d'observer une population humaine, c'était toujours de loin et rarement un si grand nombre d'individus à la fois. Autour de lui, et plus encore à mesure qu'ils avançaient dans la ville, il ressentait des vibrations négatives, celles émanant de bas-fonds ou d'écuries mal entretenues.

« Est-ce l'atmosphère habituelle d'une cité d'hommes ? » s'enquit l'elfon.

Le Vénérable réfléchit un long moment avant de répondre, comme s'il avait besoin de humer l'air de ces lieux d'apparence paisible et civilisée.

« Je devine un changement important depuis ma dernière visite, finit-il par dire. Je suis heureux que nous ne restions pas plus d'une nuit. »

Ils allongèrent le pas. Au détour d'une rue, ils durent s'arrêter, car un chariot couvert obstruait le passage, attendant que le carrefour se dégage devant lui. C'est alors que Kendhil croisa le regard d'un homme enveloppé dans une cape sombre, dont la capuche dissimulait en partie le visage. Ses prunelles brillaient d'une dureté qui le fit frissonner. Le jeune elfe remarqua ensuite deux autres individus pareillement vêtus, d'un gabarit imposant, au moins aussi impressionnant que celui des grands orques de la tribu Ourlack, installée non loin de la frontière de l'Empire. Ils n'en étaient pas, puisqu'ils n'exhalaient pas la pestilence caractéristique de ces bêtes à forme humaine. En revanche, on devinait en eux des guerriers cruels et belliqueux. Le chariot repartit à cet instant. Kendhil se pencha vers son compagnon pour murmurer :

« Avez-vous vu ces hommes à notre droite ? Leur présence m'a glacé le sang.

– À moi aussi. Hâtons-nous, il se prépare quelque chose, je le sens.

– Vraiment ? Quoi ?

– Je n'ai nulle envie de le savoir. Nous quitterons finalement cette ville dès notre transaction achevée.

– De nuit ? »

Guenth l'Ancien le dévisagea.

« Cela te pose-t-il problème ? »

Kendhil fit non de la tête, confus d'avoir pu laisser penser qu'il avait peur de l'obscurité, alors que, comme tous les elfes de l'Empire, il disposait d'une bonne vision nocturne. À cet instant, un bruit sourd gronda dans le ciel. Les deux voyageurs levèrent la tête et interprétèrent cette menace comme un prélude à la fureur des hommes. Ils pressèrent le pas.

Les premières gouttes lourdes et froides de l'orage claquaient au sol, quand ils débouchèrent sur une immense esplanade. Kendhil s'arrêta pour détailler l'étrange édifice en dôme qui s'élevait au centre. À chaque point cardinal était percé un large et haut porche ouvert, d'où s'échappaient des bruits métalliques et des grincements de poulie fort intrigants.

« C'est ici que se trouve le puits de la mine de Burgon, expliqua Genth. On raconte qu'il est si profond qu'il touche la chair de feu du monde. »

Un énorme chariot à trois trains de roues, chargé d'un minerai noir veiné de rouille, sortit à cet instant par la porte sud. Il traversa l'esplanade pour s'enfoncer dans une avenue lui faisant face. Kendhil reporta son attention sur le dôme et remarqua alors que le donjon de Burgon s'élevait juste derrière. En son sommet brillaient quelques torches, mais ses fenêtres carrées étaient pour la plupart obscures. Guenth l'Ancien le tira de sa contemplation :

« Ne nous attardons pas davantage, la menace se précise.

– Vraiment ?

– Je parle de l'orage », ajouta-t-il en adressant un sourire espiègle à son jeune compagnon.

Les deux Sentinelles se dirigèrent vers une courte impasse donnant sur la place. Une fois au fond, ils s'arrêtèrent devant l'entrée d'une maison à façade étroite, haute de cinq étages. Le Vénérable actionna le heurtoir de métal.

« Chez qui allons-nous entrer ? s'enquit Kendhil.

– Far est un des meilleurs maîtres du fer de la cité. C'est aussi un très vieil ami des Sentinelles. »

L'elfon s'attendait donc à voir apparaître un humain aux traits fatigués, aux mains asséchées par une longue vie de labeur. L'huis s'entrebâilla. Un visage apparut dans la lumière du flambeau de ville, qui brûlait à l'entrée de l'impasse. Et Kendhil fut saisi d'étonnement...

·4·
LES MARAUDEURS ATTAQUENT

C'était un visage à l'ovale délicat, avec de grands yeux bleus qui captaient immédiatement l'attention. Tout d'abord inquiets, ils s'écarquillèrent soudain d'enthousiasme à la vue du plus âgé des visiteurs.

« Seigneur Guenth ! s'exclama la jeune fille. Nous ne vous attendions pas si tôt... Enfin je veux dire, nous pensions que... Entrez, entrez vite ! Grand-père est à l'atelier, il va bondir de joie. »

Le battant s'ouvrit en grand, découvrant une adolescente au corps délié, dont la longue chevelure dorée ondulait librement dans son dos. Elle était vêtue un peu à la garçonne d'un pantalon de lin beige, sur lequel flottait une chemise marron, ornée d'arabesques sur la poitrine. Les deux Sentinelles franchirent le seuil et se retrouvèrent dans un vestibule au sol dallé de pierre. S'il y avait quelques éléments de décor, Kendhil fut incapable d'y porter de l'intérêt, tant cette créature enjouée et gracile le fascinait. Guenth l'Ancien présenta ses hommages à la jeune humaine à la manière des elfes, c'est-à-dire sans prononcer une parole et en hochant très légèrement la tête. Puis il désigna de la main son compagnon :

« Clivi, je te présente Kendhil, de la lignée Findhit. »

Sous le regard mi-admiratif, mi-amusé de l'adolescente, l'elfon eut visiblement du mal à rompre son enchantement pour la saluer.

« Je vais prévenir maître Far, annonça-t-elle de sa douce voix flûtée. Entrez dans ce salon et choisissez votre siège. »

Dès que les visiteurs eurent pénétré dans la salle, Clivi s'éclipsa par un long corridor au fond du hall, vers les profondeurs mystérieuses de la demeure. Tandis que Guenth l'Ancien allait s'installer confortablement dans un immense fauteuil de cuir, disposé devant une cheminée éteinte, Kendhil explorait les lieux comme s'il se fût agi d'un fabuleux palais. Il considéra une armoire de lourd bois brun, passa la main sur le coussin en fourrure d'une chaise...

« Voici donc l'arbre-maison d'un humain, murmura-t-il.

– On dit "maison", cela suffit », rectifia l'Ancien.

Pour le jeune elfe, l'endroit était encombré par des dizaines d'objets, dont il peinait à comprendre l'usage : certains représentaient des hommes au corps plus ou moins dénudé, en pleine action héroïque de chasse ou de guerre. D'autres n'étaient que de simples sphères de métal, sur lesquelles étaient sculptées des scènes de la vie ordinaire. Plus curieux encore, des instruments de guerre, dont plusieurs épées longues, étaient fixés aux murs tout autour de la salle.

« Pourquoi tant d'armes pour un seul foyer ? demanda-t-il. Maître Far craint-il à ce point ses voisins ?

– Ce sont des objets décoratifs, expliqua Guenth, comme ces statues ou ces boules gravées. »

Kendhil fit semblant d'apprécier mais, en vérité, tout cela lui semblait bien étrange. Les demeures des Sentinelles ne renfermaient aucune œuvre d'art. C'était la nature qui leur offrait, par sa luxuriance et sa fabuleuse diversité, les plus élégants ornements. Les elfes ne pratiquaient d'ailleurs aucun art, sinon celui de l'escalade, car ils n'éprouvaient pas le besoin de se représenter, encore moins dans des scènes qu'ils vivaient au quotidien. Quant aux événements exceptionnels du passé, c'est dans le marbre de leur mémoire qu'ils étaient sculptés.

L'entrée du maître du fer mit fin, provisoirement, aux multiples questions que se posait Kendhil. Les deux vieux amis se saluèrent d'abord à la manière elfique, puis comme des humains en tombant dans les bras l'un de l'autre.

« Asseyons-nous et buvons au bonheur de nous retrouver, s'exclama maître Far. Clivi, mon ange, veux-tu bien nous apporter la bouteille de Syrinth ? »

Mon ange, se répéta en pensée Kendhil, qu'était-ce donc ? Une nouvelle interrogation à ajouter aux autres. Le voyage de retour promettait de riches discussions avec le Vénérable. L'adolescent s'était installé sur un tabouret à trois pieds, à la droite de Guenth. Ce dernier prit la parole pour d'abord présenter son jeune compagnon, puis demander des nouvelles à leurs hôtes. Le visage de maître Far prit une expression grave, qui creusa encore ses nombreuses rides. Tout en caressant sa longue barbe grise, il expliqua :

« On ne peut pas vraiment dire que cela va mal. Mais, depuis que notre seigneur s'en est allé livrer à l'empereur notre dîme annuelle de fer, escorté par la moitié de la garnison, nous ne sommes pas tranquilles. Les huissiers laissent entrer n'importe qui et, depuis trois jours, il n'a jamais erré autant d'étrangers dans nos rues. Fort heureusement, nos guetteurs sont vigilants et les portes closes dès la nuit tombée. Mais toi, mon bon ami, comment vas-tu ? Nous ne t'attendions pas avant trois jours. Cela cache-t-il une inquiétude ? »

Guenth hocha la tête.

« Je pressens qu'il y a urgence, en effet. Mais jusqu'à ce que je franchisse la porte de la cité, je croyais que j'en étais seul la cause, que peut-être mon heure approchait... Mais nous y reviendrons plus tard. Pouvons-nous parler de fer ? »

Tandis que s'engageait entre les deux vénérables une négociation rituelle, Clivi servit la boisson dans des gobelets de métal. Elle apporta ensuite, disposés dans des coupelles, des *pâtons*, des *croustillants* et autres *grignotins*. Parlant à mi-voix pour ne pas déranger la conversation des anciens, elle révéla à Kendhil la composition de chacune de ces gourmandises. L'elfon n'entendit pas grand-chose à ces explications, moins encore prêta-t-il attention à l'orage qui grondait toujours plus fort au-dehors. Mais il ne quittait pas Clivi des yeux.

Tout à coup, maître Far s'exclama en se redressant sur son fauteuil :

« Et si vous veniez dans mon atelier choisir vos lingotins[1] ? »

Ils se levèrent tous les quatre. C'est alors qu'ils entendirent le hurlement des trompes de guet. Anxieux, ils attendirent, l'oreille aux aguets.

« La cité serait-elle attaquée ? demanda Clivi, alors que retentissait une alarme plus lointaine.

– Non, ce serait insensé », répondit maître Far.

Mais à l'évidence, il n'en était pas sûr.

1. Lingotins : dans le jargon des négociants de Burgon, petits lingots de métal pur de 200 grammes environ.

« Ce n'est pas de l'extérieur que vient le danger, estima pour sa part Guenth l'Ancien. Kendhil et moi allons nous enquérir de la situation. Pendant ce temps, et par simple précaution, préparez un bagage de survie. »

Maître Far, qui déjà avait la peur au ventre, approuva. Il encouragea Clivi à faire vite, tandis que lui-même mettrait à l'abri ses biens les plus précieux. Les elfes reprirent leur cape, puis sortirent à grands pas de la maison, la capuche rabattue sur la tête. Ils n'eurent pas à aller bien loin pour comprendre la cause de l'alerte. Sur l'esplanade battue par la pluie, régnait l'agitation d'une ville aux mains de pillards. Dans un vacarme de fin du monde, sous un ciel en furie zébré d'éclairs, des citadins couraient en tous sens, comme s'ils avaient eu les sbires de l'Obscur aux trousses. Une dizaine de soldats à pied débouchèrent tout à coup d'une rue à gauche. Ils furent aussitôt pris à partie par une bande d'hommes en cape brune, armés d'épées qui étincelaient sous les traits de l'orage. L'échauffourée dura peu, tant ces guerriers étaient habiles bretteurs. Les armures de fer noir n'avaient pas protégé les dix gardes de la décapitation. Sous le dôme, résonna un cri qui se perdit dans l'abîme. On venait de jeter un malheureux dans le puits de la mine. Une femme s'enfuyant d'une maison fut rattrapée par un étranger et violemment jetée à terre, puis tout aussi brutalement relevée par les cheveux. Indigné, Kendhil porta la main à la poignée de sa dague.

« Nous ne bougeons pas ! lui ordonna Guenth l'Ancien.

– Mais... On ne peut pas rester là à regarder ces humains se faire massacrer !

– Si », lâcha simplement le Vénérable en guise de réponse.

Kendhil ne comprenait pas, mais il sut qu'il devait obéir. Les explications viendraient plus tard. Les deux Sentinelles assistèrent encore à plusieurs affrontements, toujours fatals aux soldats de la garnison. Le jeune elfe remarqua que ces étrangers ne semblaient pas s'intéresser aux richesses de la cité, mais seulement à certains de ses habitants. Ils commençaient à rassembler sur l'esplanade des familles entières qu'ils mirent sous bonne garde.

« Qui sont ces criminels ? Que veulent-ils ? questionna Kendhil.

– Ce sont des Maraudeurs », répondit l'Ancien.

Le jeune elfe fronça les sourcils. Fouillant dans sa mémoire, il se souvint que ce terme désignait d'anciens soldats réguliers, reconvertis dans le mercenariat (ou la maraude). Ils formaient une compagnie extrêmement disciplinée, surentraînée, surarmée, surexpérimentée... en un mot, redoutable.

« Ils sont venus faire leur marché, précisa Guenth l'Ancien.

– Que voulez-vous dire ? »

Kendhil n'eut pas loisir d'entendre une réponse, car un groupe de cinq Maraudeurs avançait vers eux, l'allure déterminée.

« Vénérable, est-ce que j'appelle Karlo ?

– Je te l'ai dit, Kendhil, on ne bouge pas. Et quoi qu'il arrive, c'est à moi de parler ! »

L'elfon acquiesça d'un bref mouvement de tête, mais il n'était pas certain de pouvoir contenir sa fureur. Il fixa sur les cinq silhouettes un regard plus pénétrant qu'une lance de chevalier d'Isuldain. Tous affichaient la dureté d'impitoyables conquérants ; l'issue d'un combat serait des plus incertaines. Cependant, si Kendhil éprouva de la peur, ce fut bizarrement uniquement pour la jeune Clivi et son grand-père.

Les Maraudeurs levèrent leurs épées en signe de défi. Alors, d'un geste vif, Guenth l'Ancien rejeta sa capuche en arrière. Aussitôt, l'un des agresseurs intima d'un geste de la main l'ordre de stopper. Il salua ensuite les Sentinelles à la manière elfique.

« Pardonnez, seigneur elfe, déclara-t-il, mais nous devons entrer dans cette impasse.

– Pardonnez, seigneur Maraudeur, mais nous ne le permettons pas », répliqua Guenth l'Ancien sur le même ton.

L'homme serra les mâchoires de colère. Il parvint quand même à se maîtriser pour déclarer avec calme :

« Cette affaire ne concerne pas vos seigneuries. Vous pouvez quitter en paix la cité de Burgon. Nul d'entre nous ne vous causera d'ennui.

– Il est vrai que les affaires humaines ne regardent pas les Sentinelles que nous sommes. Toutefois, vous vous apprêtez à agresser nos amis, autant dire nous. »

Le chef du groupe ne dissimula pas son embarras. Sans doute n'était-il pas assez haut dans la hiérarchie de sa compagnie pour prendre la décision d'en découdre avec des elfes. Il échangea un regard avec l'un de ses semblables, puis céda :

« Soit, nous nous retirons. Sachez cependant que vit ici un maître du fer que nous avons ordre d'emmener et... (Il s'interrompit comme s'il réalisait que toute discussion était vaine.) Il m'étonnerait que vous puissiez vous y opposer durablement, lâcha-t-il avec aigreur. Prenez garde, seigneur elfe, votre nature ne vous protège pas de tout. »

Sur ce, il tourna les talons, puis s'éloigna avec ses sbires. Kendhil relâcha un peu de tension musculaire.

« Viens ! » ordonna l'Ancien en faisant volte-face.

Ils retrouvèrent Clivi dans le hall de la maison. Elle était livide, mais parvenait encore à dominer son angoisse.

« Nous sommes prêts... enfin presque, annonça-t-elle. Grand-père achève de protéger nos...

– Il n'est plus temps ! la coupa Guenth. Allez le chercher, et qu'il nous rejoigne immédiatement. Vos vies sont menacées, et nous ne savons pas s'il est encore possible de les sauver. »

Saisissant toute la portée de l'avertissement, la jeune fille se précipita au fond du couloir.

« Vénérable, pourquoi avoir été si clair ? Cette humaine était apeurée, elle sera désormais terrorisée.

– Les elfes sont toujours clairs dans leurs propos, même avec les humains. Ainsi, au moins, nous ne les trompons pas. »

Kendhil comprit qu'il venait de recevoir une nouvelle leçon de comportement elfique. Mais il se dit aussi que les Sentinelles n'étaient pas faits pour commander aux hommes.

·5·
LA DÉCISION
DE KENDHIL

Sous la protection rapprochée de leurs amis, Maître Far et sa petite-fille traversèrent l'esplanade sans encombre. Plusieurs Maraudeurs tentèrent bien de s'opposer à eux, mais voyant à qui ils avaient affaire, ils renoncèrent. Certains même, d'une légère inclinaison du buste, saluèrent les elfes qui avançaient tête nue malgré la pluie battante. Le vieil homme tenta de rassurer Clivi qui s'accrochait à lui comme une enfant effrayée :

« Nous allons nous en sortir, mon ange, grâce à nos amis.

– Tant que nous ne serons pas hors les murs, mieux vaut se taire », lui fit remarquer Guenth l'Ancien.

Kendhil se retint d'ajouter : « Les elfes n'aiment pas les faux espoirs. » Car il était évident qu'ils ne s'en tireraient pas si facilement. Ils parvinrent devant la porte principale, alors que résonnaient partout dans la cité plaintes, cris et cliquetis de combats à l'épée. Burgon était devenue une véritable arène de la mort, close comme l'enfer. Même un elfe aussi endurci que le vénérable Guenth, qui avait connu les Grandes Guerres, était horrifié. Les cadavres des huissiers avaient été tirés de part et d'autre du monumental portail de fer. Un nombre équivalent de Maraudeurs les avait remplacés.

Le vieil elfe s'arrêta et lança d'une voix forte :

« Je suis Guenth l'Ancien, doyen des Sentinelles d'Oriadith ! Qui commande l'ouverture de ce portail ? »

Un silence interminable lui répondit. Aucun des Maraudeurs ne se sentait de taille à discuter avec un tel personnage.

« Ouvrez-le ! ordonna le Vénérable, en levant une main impérieuse à la manière d'un magicien.

– Pas sans mon consentement ! » lança soudain une voix autoritaire et puissante dans leur dos.

Les elfes et leurs protégés se retournèrent. Un Maraudeur approcha du petit groupe. À l'évidence, il s'agissait du commandant de l'expédition. Il avait rejeté les pans de sa cape sur ses épaules, découvrant une cuirasse de métal lisse et doré. Sa coiffure était caractéristique des chefs Maraudeurs, tressée en trois longues nattes coulant sur son dos. Il s'arrêta près du puits.

« Seigneur Guenth, écartez-vous avec votre novice, afin que mes hommes emmènent ce maître du fer et cette jeune fille rejoindre leurs semblables. Vous n'avez pas à intervenir dans nos affaires, à moins que vous n'ayez décidé que votre transfose devait se réaliser céans. »

Tandis qu'il parlait, les autres Maraudeurs s'étaient déployés autour du petit groupe, jusqu'à le cerner totalement. Pour montrer leur détermination, ils avaient tous dégainé leur épée. Guenth l'Ancien se tourna vers son vieil ami. Ils n'échangèrent qu'un regard, si lourd de chagrin qu'il valait tous les discours d'adieu. Clivi serra les dents pour ne pas offrir au chef des Maraudeurs le spectacle d'une fille de Burgon désespérée qui s'effondre en larmes. Quant à Kendhil, il était dépassé par les événements. Une brève folie faillit lui faire tirer sa dague. Guenth s'en aperçut et posa une main apaisante sur celle de l'elfon.

« *Erlostra fandor armen a kéma.* »

Ces quelques mots murmurés dans un très ancien dialecte elfique permirent à Kendhil de reprendre ses esprits. Les vibrations de ces paroles avaient pénétré jusqu'à son âme, porteuses de ce message : « La sagesse est de laisser la lucidité guider les actes. » Kendhil s'efforça de respirer calmement et, dans son cœur, une insondable tristesse succéda à la rage.

« Nous partons », annonça simplement Guenth l'Ancien.

Le chef des Maraudeurs n'eut qu'à lever l'index pour qu'aussitôt ses hommes se précipitent vers le portail, et entreprennent d'en tirer les pesants van-

taux. Kendhil échangea un regard avec Clivi, qui esquissa un sourire. Elle gardait espoir. Les deux Sentinelles tournèrent les talons, puis se fondirent dans l'obscurité opaque régnant sous le châtelet d'entrée.

Quand retentit le claquement des portes derrière eux, Khendil avait pris sa décision : il ne trahirait pas la confiance de Clivi. Pour annoncer ses intentions, il attendit cependant qu'ils aient regagné l'endroit où les chevaux de Kolphis devaient venir les chercher à l'aube. Jusque-là, les deux Sentinelles n'échangèrent pas un mot, mais l'Ancien savait précisément les sentiments qui agitaient son jeune compagnon. Il entendit même son rythme cardiaque ralentir[1], lorsqu'ils commencèrent à fouler l'herbe détrempée de la prairie et que le jeune elfe allait exposer sa décision.

Soudain, il s'arrêta de marcher et demanda :

« Je t'écoute, Kendhil, que vas-tu faire ? »

Pris au débotté, l'elfon marqua un silence avant de répondre :

« Ce que mon instinct me commande.

– L'instinct commande la part animale de l'elfe. Mais ce n'est pas lui qui t'inspire.

– Alors, nous dirons que c'est ma part d'humanité, enchaîna Kendhil d'une voix affermie. Je vais appeler

1. Chez les elfes, l'émotion accroît la maîtrise du corps.

Karlo, afin que vous puissiez lui rapporter la situation. Pendant ce temps, je retournerai à Burgon.

– Et ensuite ? s'enquit le Vénérable, d'une voix posée.

– J'agirai selon la situation. »

Tout était dit. Kendhil scruta le ciel au-dessus d'eux. Il était chargé de lourds nuages qu'irradiaient de l'intérieur d'incessants éclats de lumière. Aucune créature ailée n'aurait eu l'audace de le parcourir, faisant fi de sa colère... sauf un dragon. Bien au contraire, la violence des vents tourbillonnants, le tonnerre et les éclairs étaient autant de compagnons de jeu pour ces monstres qui, d'après la légende, seraient nés de l'accouplement tumultueux des eaux célestes et du feu de la terre.

Profitant d'une accalmie entre deux coups de tonnerre, Kendhil poussa son cri d'appel. Il n'eut pas à le renouveler avant que surgisse, tel un aigle fondant sur une proie, son dragon d'Hélion. La bête atterrit à quelques mètres des Sentinelles.

« Karlo, Burgon a été attaqué et envahi par une troupe de Maraudeurs », annonça son alter ego.

L'animal se dressa en déployant les ailes. Il émettait des sifflements haletants. Par instants, il rugissait ou soufflait violemment par les narines, et son regard enflammé était d'une terrible férocité. À croire qu'il était en plein combat lorsque Kendhil l'avait appelé. Il finit par s'apaiser, replia ses ailes et se baissa.

« J'ai vu cela, lâcha-t-il. Qu'est-ce que tu attends de moi ?

– D'abord, tandis que je retournerai là-bas, je veux que tu écoutes le récit que le vénérable Guenth te fera des derniers événements. Ensuite, tiens-toi prêt à répondre à mon appel, car je vais courir un grave danger. »

La tête du dragon pivota plusieurs fois de droite et de gauche, signe d'une grande perplexité.

« S'il s'agit d'aller chercher une chose que tu as oubliée, je peux m'en charger, proposa-t-il.

– Ce n'est pas de "choses" qu'il s'agit, et je n'ai rien oublié. »

Kendhil ôta sa cape qu'il confia à l'Ancien.

« Je ne dois pas perdre plus de temps, reprit-il. Merci, Vénérable, et... pardon. »

Guenth ne réagit pas, parce qu'il était incapable de trancher entre le devoir de s'opposer au jeune intrépide et l'envie de l'encourager. Kendhil s'éloigna, promettant qu'il serait de retour avant l'aube, avec ou sans les humains. Quand il eut disparu dans la nuit pluvieuse, sa voix retentit encore :

« Tu ne me perds pas de vue, hein, Karlo ? »

Le dragon émit un bref grognement interrogatif, puis demanda au Vénérable :

« Qu'est-ce qui lui prend ?

– Comme moi, lorsqu'à son âge j'ai rejoint la coalition d'Isuldain qui combattait les hordes du nord, il obéit à sa nature profonde... Il accomplit son destin. »

Il se fit un long silence, puis Karlo s'enquit :

« Qu'allez-vous faire, Vénérable ?

– Ce que j'avais décidé, rentrer à Oriadith. »

· 6 ·
DUEL AU SOMMET

Après avoir traversé le pont de Burgon, Kendhil quitta la route pour approcher l'à-pic qu'il comptait escalader. Et ce fut déjà une épreuve, car il s'empêtra dans un maquis de ronces et d'arbustes épineux qui faillirent lui faire perdre son sang-froid. Dans l'obscurité, il avait l'impression que des dizaines de mains griffues l'agrippaient, comme si des démons rampants voulaient l'empêcher d'avancer. Quand il parvint enfin au pied de l'escarpement, qu'il attaqua sans s'accorder un instant pour souffler, c'est la tempête qui s'en mêla. Des bourrasques violentes semblaient s'acharner sur lui pour l'arracher à la paroi. Mais la rage l'habitait, plus vive à mesure que les éléments se déchaînaient. Une fois au bas du rempart de la cité minière, il prit le temps d'évaluer la difficulté de l'ascension qui l'attendait. « Ridicule ! » pensa-t-il.

Il est vrai qu'une telle muraille, édifiée en moellons saillants, était pour un Sentinelle aussi aisée à gravir qu'un escalier pour un humain. Cela lui laissait l'esprit libre pour réfléchir à la suite de l'opération en même temps qu'il grimpait. Il en vint très vite à la conclusion qu'il s'était lancé dans une action désespérée, voire suicidaire, d'autant qu'il n'avait aucune idée de la stratégie à mettre en œuvre. Pour garder le moral, Khendil décida d'aviser en fonction des circonstances et se concentra à nouveau sur l'instant présent.

Sous un déluge qui finalement ne le dérangea pas outre mesure, il prit pied sur le chemin de ronde de la muraille. La ville, dont les toits luisaient à chaque éclair, semblait calme, pour ne pas dire morte. Les quelques rues et placettes, sur lesquelles il disposait d'une vue plongeante, étaient désertes. Tant mieux ! Cela ne rendrait son approche du dôme que plus aisée. Il pensait y retrouver les otages qu'il imaginait regroupés par les Maraudeurs, serrés les uns contre les autres, transis, terrorisés... Dans leurs maisons, les habitants qui avaient échappé à la rafle devaient pareillement trembler, de peur qu'on vienne les chercher. Un début de plan s'élabora dans l'esprit du jeune Sentinelle, certes très rudimentaire, sans doute un peu naïf, qui exigeait de lui une première action : se transformer en Maraudeur.

À peine l'eut-il décidé, qu'un homme sortit d'une tour de guet, l'épée au poing.

« Eh là, vous ! Présentez-vous ! »

C'était un des étrangers en cape brune. Pris au dépourvu, Kendhil garda le silence. Que devait-il faire ? Parler ou attaquer ? Il n'était pas venu pour faire la conversation, mais il n'avait pas non plus envie d'affronter un guerrier de cette trempe, alors qu'il ne connaissait des combats que les innocents jeux de mains de son elfance. Il finit par choisir de donner la réplique à cet homme, avant de le prendre à partie.

« Honneur à vous, soldat ! » lança-t-il en simulant un air bienveillant.

Sa main gauche se ferma sur le manche de sa dague elfique.

« Je m'appelle Kendhil et je suis un Sentinelle d'Oriadith.

– Que faites-vous là, seigneur elfe ? Ne vous a-t-on pas laissé partir en paix ?

– En effet, mais j'ai oublié quelque chose. Et comme les portes étaient fermées... »

Tout en approchant de l'intrus, le Maraudeur fit glisser sa capuche sur sa nuque, livrant sa chevelure tressée à l'averse. Kendhil en déduisit qu'il se préparait à se battre. Le bref éclat lumineux d'un coup de foudre fit luire ses yeux, petits et si rapprochés du nez qu'on eût dit ceux d'un loup.

« Qu'avez-vous donc oublié de si important ? » demanda le Maraudeur.

Kendhil songea qu'il était temps pour lui de passer à l'action, mais une question l'assaillait : « Comment tue-t-on un homme ? » La réponse qui lui vint ne l'éclaira guère : « Comme on peut. » Résigné à improviser, il tira sa lame et la maintint à la verticale devant lui, ainsi qu'il l'avait vu sur une gravure, dans l'un des grands livres conservés à la Maison Mémoire des Sentinelles. Le Maraudeur esquissa un bref sourire. L'elfon fit un pas de côté, puis abattit vivement sa dague, comme s'il se fût agi d'un bâton. Elle fut interceptée par celle du Maraudeur. Il recommença. Les fers s'entrechoquèrent à nouveau, sans grande violence.

« Allons, seigneur elfe, pourquoi cette agressivité ? Vous allez m'obliger à... »

Kendhil tenta une feinte. Le Maraudeur l'esquiva sans peine et dans le même mouvement le saisit au poignet de sa main libre et de l'autre, sans lâcher son épée, lui expédia un terrible coup dans la figure. L'elfon se retrouva à terre, désarmé, déconfit. De cette malheureuse passe d'armes, il tira une première leçon : « Pour tuer un humain, il faut être aussi vif que le félin bondissant sur sa proie. » Or cela, il savait faire. Il se remit sur pied d'un bond puis, tout son corps arqué, il fléchit les jambes, prêt à déguerpir... ou à attaquer. Le Maraudeur dut croire que son adversaire avait compris la leçon et s'apprêtait à fuir, car il se détendit.

« Je ne sais pas quelles sont vos intentions, dit-il, mais vous faites bien d'y renoncer, car à la provocation suivante, je devrai vous embrocher. »

Ce fut à lui de ne pas voir venir le coup. Kendhil lui sauta à la figure avec la vélocité d'une panthère, le renversa et roula au sol avec lui. Le Maraudeur poussa un cri rauque, puis un juron dans une langue inconnue. Il se débattit, sans parvenir à refermer les doigts sur une prise ferme. L'elfe était sur son dos et l'immobilisait face vers le ciel, des deux bras et des deux jambes, de telle sorte qu'il ne pouvait pas plus s'agiter qu'une tortue retournée.

« Vas-tu me lâcher, sale vermine ! » proféra-t-il.

Pas tout de suite, répondit en pensée le jeune Sentinelle, *il faut d'abord que je vous tue.* Restait à savoir comment. Dans la bagarre, le Maraudeur avait laissé tomber son épée qui gisait le long du parapet crénelé, hors de portée. Celle de Kendhil était plus proche, mais pour s'en emparer, il devait prendre le risque de lâcher sa proie d'une main. C'est alors que déboulèrent sur le chemin de ronde, par un escalier de pierre extérieur, deux autres Maraudeurs. En découvrant leur compagnon s'agitant au sol du côté de la tour de guet, ils s'immobilisèrent. À cause de l'obscurité, ils ne réalisèrent pas tout de suite ce qu'il se passait.

« Ollong, qu'est-ce qui t'arrive ? l'interpella l'un d'eux.

– Cherche pas, grommela l'autre, il a bu. Mais ça va lui coûter cher ! »

À la faveur d'un éclair, ils aperçurent le bras qui strangulait leur compagnon, et l'ovale clair d'un visage derrière le sien.

« Au sec... Aidez-moi ! » bredouilla l'infortuné bandit.

Dans un même mouvement, les Maraudeurs écartèrent les pans de leur cape, dégainèrent leur épée, puis se précipitèrent au secours de leur camarade. C'est alors qu'une masse énorme s'abattit sur eux et les renversa. Stupéfaits, ils n'eurent que le temps de voir luire sous le flash d'un éclair les énormes crocs blancs qui les happèrent l'un après l'autre. Épouvanté, le Maraudeur que Kendhil avait ceinturé par-derrière avait cessé de se débattre. Il suivit du regard l'envol de ses camarades, éjectés hors de la ville par le monstre ailé. Cela fait, ce dernier baissa la tête pour considérer ce troisième larron que le Sentinelle, allongé sur lui, avait immobilisé.

« On pourrait savoir à quoi tu joues, Kendhil ? demanda le dragon.

– Je joue à ne pas me faire tuer, répondit son compagnon. Merci, Karlo. Sans jeu de mots, tu tombes à pic.

– Comme toujours... Tu peux lâcher ce Maraudeur, je m'en occupe. »

L'elfe obéit, puis se remit debout, soulagé que son affaire se termine ainsi. Pour le Maraudeur à demi allongé, en appui sur les coudes, qui fixait avec des yeux exorbités de terreur la créature écailleuse au-dessus de lui, il en allait bien sûr tout autrement.

« Pitié, seigneur dragon, pitié ! implora-t-il.

– Ignores-tu qu'un dragon ne connaît pas la pitié ?

– Karlo, s'il te plaît, épargne-le », intervint Kendhil.

Son ami releva la tête.

« Pourquoi ?

– Je ne sais pas... Parce qu'il a demandé pitié.

– Que crois-tu qu'il fera quand il aura rejoint les siens ?

– Je ne parlerai pas, je le jure ! s'écria le Maraudeur.

– Ben voyons, ironisa Karlo.

– Le serment d'un Maraudeur vaut plus que sa vie. Vous le savez, n'est-ce pas, seigneur dragon ?

– Je le sais, convint Karlo. Mais je sais aussi que la trahison est pratique courante chez les humains. Désolé. »

Il ouvrit grand la gueule, le Maraudeur émit un pitoyable gémissement. Alors, Kendhil eut une idée :

« Attends, Karlo ! Emporte-le très loin. Ainsi, le temps qu'il rejoigne sa compagnie, j'en aurai terminé ici. »

Une expression de fol espoir apparut sur le visage du Maraudeur qui hocha nerveusement la tête. Le dragon fit claquer ses mâchoires pour manifester sa désapprobation, puis consentit :

« Comme tu voudras. Mais cela signifie que durant un long moment, je ne pourrai plus veiller sur toi.

– Ne t'inquiète pas, je ne commettrai aucune imprudence. Et puis, de toute façon, malgré tes bons yeux, tu ne pourras plus me distinguer d'ici quelques instants.

– Tiens donc, et comment cela serait-il possible ?

– Parce que je vais me transformer en Maraudeur. »

Celui qui gisait sur le dallage du chemin de ronde comprit qu'il allait devoir voyager sans cape. Il n'attendit pas que le Sentinelle la lui réclame...

·7·

RETROUVER
LES OTAGES, ET APRÈS?

Kendhil était dans la ville. Enveloppé dans une ample cape brune de Maraudeur, le capuchon rabattu sur la tête, il parcourait les rues désertes au pavé luisant. Tel un spectre de la mort en mission, il progressait vers l'esplanade du dôme, rasant les murs, disparaissant souvent dans les ténèbres d'une porte cochère, jetant un furtif regard au coin d'une maison avant de traverser un croisement ou une place. Depuis sa mésaventure sur le rempart, il était hanté par une question à laquelle il ne parvenait pas à donner une réponse : s'il en avait eu le pouvoir, aurait-il pu tuer de sang-froid le Maraudeur avec lequel il s'était battu ? Jusque-là, il ne doutait pas de sa détermination à éliminer tout obstacle se dressant entre lui et les Burgonnais qu'il venait délivrer. Il pouvait envisager d'enfoncer sa lame elfique dans le ventre d'un humain, aussi aisément qu'il enfilait un poisson sur une branche pour le cuire à la broche. Or, voilà qu'après avoir été confronté aux supplications de l'homme qui se voyait mourir, il craignait d'en être incapable. Il en tira une deuxième leçon : passer des intentions à l'action n'est pas aussi aisé que de sauter d'un arbre à un autre. Pire, ce qu'on imagine peut se révéler terriblement trompeur quand se présente la réalité. Il en eut très vite une nouvelle démonstration...

Contrairement à ce qu'il s'était figuré, les otages n'étaient pas rassemblés sur l'esplanade du dôme, tel un troupeau de craintifs moutons. Ils avaient été embarqués dans une dizaine de grosses charrettes bâchées, à deux trains de roues, celles-là même qui servaient au transport du minerai de fer. Tel un convoi prêt à partir, elles stationnaient les unes derrière les autres avec leurs chevaux de trait, des bêtes si massives qu'on eût pu les prendre de loin pour de gigantesques bœufs. Dissimulé dans l'ombre d'une étroite venelle, Kendhil observait avec inquiétude les nombreux Maraudeurs qui déambulaient à pas lents sur la place, emmitouflés dans leur cape. Certains discutaient ici ou là par petits groupes, d'autres se tenaient en faction près des véhicules. Comment savoir dans quelle charrette se trouvaient Clivi et son grand-père ? Kendhil avait neuf chances sur dix de se tromper. Et ensuite, quand il aurait réussi à les localiser, quelle ruse permettrait de les en extirper sans se faire repérer ? Un bref découragement lui traversa le cœur et il détesta cela. Laissant parler son instinct, il

s'avança à découvert. Adoptant la démarche décontractée des gardes, il approcha du convoi. En longeant l'une des voitures, il entendit un grommellement, puis un toussotement... Il se plaça à l'arrière, attendit que s'éloigne un Maraudeur un peu trop proche, puis soudain agrippa l'abattant de planches et se hissa sur la pointe des pieds. Malgré sa vision elfique, il ne distingua dans l'obscurité que des silhouettes serrées les unes contre les autres, le plus souvent assises, parfois allongées et enroulées sur elles-mêmes. Son apparition soudaine créa un émoi qui se traduisit par des murmures inquiets et les pleurs d'une fillette.

« Far est-il là ? » demanda Khendil, sans élever la voix.

L'absence de réaction l'obligea à s'y prendre autrement :

« Clivi, c'est moi, Kendhil ! »

Enfin, quelqu'un s'enhardit à répondre :

« Elle est avec les maîtres du fer. Ici, il n'y a que les forgerons.

– Dans quelle charrette ?

– La première à l'avant, je crois. »

L'elfe retomba juste à temps sur ses talons, car un homme encapuchonné approchait. En le rejoignant, celui-ci l'aborda :

« Qu'est-ce que tu faisais, compagnon ?

– Rien, je m'assurais que tout était calme.

– Et alors ?

– Tout est calme, compagnon. »

Kendhil s'éloigna, prenant la précaution de passer entre la charrette et le dôme, où régnait une plus grande obscurité. C'est alors qu'une main se posa sur son épaule.

« Attends ! Montre ta tête. »

L'elfon se figea, conscient qu'il disposait du temps d'une respiration pour prendre la bonne décision.

Dans la voiture où avaient été entassés les maîtres du fer, Clivi et son grand-père avaient pris place tout au fond, sur l'un des bancs que les Maraudeurs leur avaient fournis, ainsi qu'un tonneau d'eau et une caisse contenant des couvertures, afin qu'aucun de ces précieux prisonniers ne prît froid. L'air absent, la jeune fille contemplait deux minuscules étoiles qui scintillaient en face d'elle, dans un triangle de ciel entre une ligne de toits et le sommet en pointe de la bâche. Ses larmes avaient séché, mais ses yeux gardaient la brillance du chagrin. Elle semblait rêver à la liberté. En vérité, c'était un visage qui occupait toute sa pensée, un beau visage d'elfe. À sa droite, son grand-père s'était assoupi, le menton sur la poitrine. Soudain, un homme hurla, de douleur eût-on dit. Maître Far sursauta, sa petite-fille tressaillit.

« Qu'est-ce qui se passe ? s'inquiéta le premier, la voix enrouée de sommeil.

– Peut-être quelqu'un a-t-il essayé de s'évader, suggéra la seconde.

– Alors paix à son âme », murmura le vieil homme en refermant les yeux.

À nouveau, une voix résonna sur l'esplanade. D'autres lui firent écho, plus distinctes :

« Alerte ! Par ici ! Il est mort ! »

Les captifs qui avaient relevé la tête retournèrent à leur pénible somnolence, imaginant le sort cruel infligé au désespéré. Mais un ordre claqua qui leur fit envisager un tout autre scénario :

« Il ne peut pas être loin ! Fouillez partout ! »

L'instant suivant, on entendit un hennissement, puis le martèlement de sabots sur le pavé. L'agitation se communiqua à tous les attelages. Celui de tête fut brusquement secoué. Il avança de quelques mètres et s'arrêta d'un coup. Des Maraudeurs poussèrent des « oooh ! » pour calmer les chevaux.

« C'est peut-être les nôtres qui attaquent, suggéra un homme dans la charrette. Oui, c'est ça, on vient nous délivrer !

– Allons, ne dites pas de bêtise, le tança maître Far. Personne ne peut nous délivrer, pas même notre dieu Jorra. »

Une discussion s'engagea, tandis qu'au dehors, le remue-ménage continuait et même amplifiait. C'est alors qu'un Maraudeur, reconnaissable à sa cape brune, se découpa soudain dans l'ouverture à l'arrière. Il enjamba l'abattant et prit pied dans le chariot. Chacun retint son souffle. L'intrus murmura un nom :

« Clivi ?

– Que lui voulez-vous ? répliqua avec dureté le grand-père de la jeune fille.

– Maître Far, je vous ai enfin trouvés ! C'est moi, Kendhil.

– Kendhil ? Mais voyons... quelle folie !

– Chut ! l'interrompit sa petite-fille. Venez vite, seigneur Kendhil, nous sommes au fond. »

L'elfe se hâta de se faufiler jusqu'à ses amis.

« Qu'est-ce que ça veut dire ? Expliquez-vous ! exigea une voix masculine.

– C'est un ami, taisez-vous ! répliqua maître Far.

– J'ai tué un Maraudeur, révéla le jeune elfe une fois assis entre Far et Clivi. Maintenant, il me faut me cacher, mais dès que possible, je vous ferai évader.

– C'est pour nous que vous êtes revenu ? s'étonna Clivi.

– Bien sûr ! Nous discuterons après. Il me faut vite me débarrasser de cette cape et devenir l'un des vôtres. »

Clivi s'empressa de récolter auprès de ses semblables de quoi transformer l'elfon en garçon. Celui-ci montrait un enthousiasme quelque peu

singulier, comme s'il se fût agi d'un jeu. En fait, il n'exprimait que son soulagement d'avoir échappé à la mort... en la donnant. Il valait mieux cependant qu'il ne réfléchisse pas trop, car cet exploit lui avait laissé un souvenir extrêmement déplaisant, surtout lorsque sa victime avait lâché dans un râle, alors que la lame elfique s'enfonçait dans son corps, « Oh, non ! » comme une supplique.

« Oh ! Vos oreilles ! Nous avons oublié vos oreilles ! » s'exclama soudain Clivi.

Une femme pouffa :

« Vous avez oublié de lui mettre ses oreilles ? Au moins, elles ne risquent pas de prendre froid.

– Mais non, c'est un elfe ! » révéla Clivi.

Le mot circula dans le chariot comme si on leur avait annoncé qu'il s'agissait d'un chevalier d'Isuldain.

« Du calme, vous tous ! s'énerva maître Far. Réjouissez-vous en silence et trouvez-nous un bonnet ou, mieux, un bandeau d'apprenti. »

À peine eut-il prononcé ses mots qu'un Maraudeur, flambeau à la main, grimpait à l'arrière de la voiture.

« Debout, vous tous ! Montrez vos visages ! » ordonna-t-il.

Le cœur de Clivi s'emballa, tandis que celui de Kendhil ralentit. Il referma lentement ses doigts sur la poignée de sa dague.

·8·

LA PROMESSE DE KENDHIL

Ne pouvant pénétrer dans le chariot avec sa torche en raison de la bâche, le Maraudeur dut se contenter d'une inspection sommaire. De toute façon, il n'imaginait pas que l'assassin d'un de ses compagnons aurait eu la stupide idée de se mêler aux otages. Il disparut, et après lui le rougeoiement de son flambeau. Les prisonniers se rassirent en poussant des soupirs et quelques jurons. Clivi s'empara de la main de Kendhil et le questionna :

« Pourquoi êtes-vous revenu ? Votre vie ne vaut pas la nôtre. »

L'elfon fut troublé par ce contact, si étrange et pourtant si doux. Il retira sa main avant de répondre :

« Parce que vous êtes amis des Sentinelles.

– Les Sentinelles ne se mêlent jamais des affaires humaines, lui fit remarquer maître Far.

– C'est vrai, admit Kendhil, songeur. Mais je suis un peu comme le vénérable Guenth, je n'en fais parfois qu'à ma tête.

– Je comprends », murmura le vieil homme.

Après un court silence, le maître du fer reprit :

« Que pouvez-vous faire pour nous ? Notre sort est scellé, nous allons être vendus à quelque seigneur avide de richesse, donc de fer, puis enfermés dans une mine lointaine pour le restant de nos jours. C'est, hélas, la cruelle loi de ce monde sauvage, et personne ne se souciera plus de nous passé une année. Nous ne pouvons désormais qu'espérer une mort rapide, soupira-t-il pour finir.

– Si tu dis vrai, grand-père, alors mourons céans ! s'insurgea Clivi. Kendhil pourrait se charger de cette tâche et repartir vers ses montagnes. Que ceux qui ont perdu tout espoir le disent, ils iront trouver le réconfort dans l'au-delà auprès de leurs ancêtres ! »

L'elfe eut un haut-le-corps. Était-ce parce qu'il venait de tuer un humain qu'on le sollicitait pour un massacre ? Personne ne se porta volontaire pour le suicide assisté, et le vieux Far se renfrogna en bougonnant dans sa barbe. De cet échange, Kendhil déduisit une troisième leçon : les humains disposent d'une singulière aptitude à prononcer des propos auxquels ils ne croient pas, voire contraires à ce qu'ils pensent. Car il était évident que le vieux Far n'était nullement au comble du désespoir et que Clivi n'avait aucunement l'intention de demander à l'elfe de les expédier dans l'au-delà. Kendhil songea que si ses congénères ne savaient pas pratiquer cette forme de langage à double sens, lui devrait rapidement apprendre...

Le jeune Sentinelle focalisa bientôt toute l'attention et toutes les espérances des maîtres du fer. Ils l'interrogèrent sur son plan, ses alliés, l'armement qui serait utilisé pour décimer les Maraudeurs... L'ingénu leur avoua sans détour qu'il n'était venu que pour Clivi et son grand-père, et sans aucun plan d'évasion. Du coup, l'espoir se mua en aigreur. Le vieux Far prit la parole pour expliquer que, le moment venu, ce serait ensemble qu'ils agiraient, afin de sauver le plus grand nombre. La conversation fut interrompue par un nouveau remue-ménage sur l'esplanade. Ils en comprirent bientôt la cause, lorsque le convoi se mit en branle, sous les cris et les claquements de langue des conducteurs. Kendhil regagna l'ouverture du chariot pour évaluer la situation dehors. Il constata avec amertume que les Maraudeurs étaient nombreux à marcher de chaque côté des voitures, formant une garde funèbre de spectres encapuchonnés. Plus inquiétant encore, il remarqua que certains portaient, croisés sur le dos, un grand arc et un carquois rempli de flèches.

Précédé d'un subtil parfum, quelqu'un se glissa à sa droite. C'était Clivi.

« Qu'en pensez-vous ? demanda-t-elle dans un murmure.

– Que ce sera plus facile quand ils seront épuisés.

– N'y comptez pas. Les Maraudeurs sont d'infatigables marcheurs.

– Ils n'utilisent pas de chevaux ?

– Jamais. Leur efficacité ne repose pas sur la rapidité ou les attaques de front, mais sur la ruse et la discrétion.

– Ce qui explique pourquoi vos gardes ne les ont pas vus venir.

– Oui. D'autant que cela fait des décennies, d'après mon grand-père, qu'on n'en avait point vu sévir dans la région. »

Soudain, l'un des gardes approcha pour frapper sur l'abattant.

« Reculez ! ordonna-t-il aux deux curieux qui obéirent vivement. Et dormez ! »

Peu après, le convoi franchissait les portes de fer de Burgon. Les otages eurent alors la douloureuse conviction qu'ils ne retrouveraient jamais leur foyer. Il n'y avait que Clivi pour ne pas partager un tel fatalisme. Pour un peu, elle eût été heureuse de vivre cette épreuve, puisqu'elle l'avait mise sous la protection d'un elfe Sentinelle.

Aux premières lueurs de l'aube, le chef des Maraudeurs, dont on apprit qu'il s'appelait Igmar le Preux, ordonna une première halte. Les voitures furent disposées en cercle dans un pré où flottaient de longues écharpes de brume grise. Ensuite, les prisonniers durent descendre et se regrouper à l'intérieur de cet espace fermé, au sein duquel ils pouvaient à leur guise se déplacer et s'organiser pour les nécessités de la nature ou se partager des victuailles. Leurs ravisseurs restèrent à l'extérieur, vigilants, silencieux. L'orage s'était éloigné, laissant place à un ciel laiteux qui promettait de s'éclaircir avec la montée du soleil.

Kendhil et Clivi se tenaient à l'écart, tandis que le vénérable Far s'efforçait de convaincre ses confrères de ne révéler à quiconque des autres chariots la présence d'un Sentinelle parmi eux. L'ambiance était lourde sur ce camp provisoire, et personne ne semblait prêt à contrarier les desseins des ravisseurs.

« Comment pouvons-nous espérer échapper à notre sort ? soupira Clivi, que la fatigue de la nuit avait rendue maussade et moins confiante en son sauveur.

– En nous échappant, répondit l'elfon avec un grand sourire.

– Par la voie des airs alors, parce que sinon, je ne vois pas.

– Moi non plus », concéda Kendhil en levant les yeux vers le ciel.

Il devinait que Karlo devait pester tout là-haut, contre ce brouillard matinal qui tardait à se dissiper. Mais à la prochaine pause, son brave alter ego n'aurait aucune peine à le repérer parmi ces humains. C'était certain... Quoique... Un doute l'assaillit. Il s'examina, comme s'il s'était taché. Il portait par-dessus ses vêtements de Sentinelle une culotte de cuir et une tunique de lin jaune qui lui avaient épaissi la silhouette. Ajouté ce bandeau de tissu grisâtre autour de la tête, dissimulant ses oreilles pointues et plaquant sa chevelure noire, il était assurément méconnaissable, de loin comme de près.

« Que vous arrive-t-il ? s'inquiéta Clivi.

– Si je reste habillé ainsi, nous ne parviendrons jamais à nous évader.

– Vous pouvez m'expliquer cela ? »

L'elfon dévisagea la jeune fille, dont les yeux étaient d'un bleu vraiment fascinant. Il rompit le charme pour répondre :

« Non. »

À la seconde halte, le soleil au zénith resplendissait. Pour autant, sa lumière et sa chaleur ne pénétrèrent nullement le cœur des otages. Les Maraudeurs avaient choisi cette fois de s'arrêter à proximité d'une rivière, sans placer comme précédemment le convoi en cercle. Ils autorisèrent les Burgonnais à s'approcher de l'eau. Igmar le Preux les avertit cependant :

« Ne tentez pas de fuir, si vous tenez à la vie. »

Ce fut clair, et ce fut tout. Mais il ne fallut pas attendre longtemps avant qu'un jeune téméraire tente sa chance. Moins de dix secondes après qu'il se fût jeté à l'eau, trois flèches bien ajustées en firent un cadavre flottant. Poings sur les hanches, le chef des Maraudeurs ne cacha pas sa satisfaction ; démonstration était faite que les captifs ne devaient pas compter sur un défaut de vigilance de ses hommes. Ce dramatique incident compliqua la réflexion de Kendhil, dont le plan d'évasion était pour ainsi dire bouclé. Il savait que son dragon était capable d'enlever d'un seul coup deux humains, surtout une frêle jeune fille et un chétif vieillard, et qu'il craignait les flèches autant que les piqûres de moustique. Mais ce n'était pas le cas des humains, pas plus que des elfes. Aussi, l'apprenti sauveteur devait-il prendre en compte plus sérieusement les archers des Maraudeurs, et cela le mit de très mauvaise humeur. À ces soucis, s'ajouta l'inquiétude de

ne pas apercevoir dans le ciel une silhouette ailée familière.

« Quel salut des nues attendez-vous donc, seigneur Kendhil ? l'interpella maître Far.

– Je ne vois pas Karlo et cela me chagrine, répondit l'elfon.

– Votre aigle ? »

Kendhil regarda le vieil homme qui ignorait la nature de l'aigle en question. Une voix intérieure lui commanda de ne pas répondre, puis elle lui suggéra que c'était là une occasion de s'exercer au double langage des humains :

« Mon ami, oui. Je compte beaucoup sur lui pour nous aider. Je ne sais pas encore comment, mais ça va venir. »

Le vieil homme lui tapota amicalement l'épaule d'un air affligé, puis s'en alla rejoindre ses confrères. Clivi se mit alors à scruter l'horizon, une main en visière au-dessus des yeux.

« Je ne sais pas à quoi ressemble votre ami, dit-elle, mais si c'est lui qui joue avec le vent, il doit avoir une envergure hors du commun. »

Kendhil leva les yeux et poussa un cri de joie.

« Cette nuit, je vous ramène à Burgon », annonça-t-il.

Karlo n'était qu'un minuscule point noir dans l'azur, mais c'était bien lui.

·9·
LA GRANDE ÉVASION

À l'approche du crépuscule, Kendhil trouva l'idée qu'il cherchait, lorsque Igmar le Preux donna l'ordre de monter le bivouac non loin d'une profonde forêt. Il l'avait attendue tout l'après-midi, avec confiance, sans se surmener la cervelle, comme on attend l'annonce d'un heureux événement. Ce n'était pas une méthode elfique, car les Sentinelles étaient plutôt de nature anxieuse hors de leurs montagnes. Mais c'était la sienne : une aptitude innée à l'abandon, tel que le professaient les Sages d'Isuldain pour accéder aux grands mystères du monde.

Kendhil ignorait encore que, mal maîtrisée, cette pratique pouvait aussi se révéler dangereuse.

Au début, Clivi eut un peu de mal à partager cette sérénité, qu'elle assimilait à une insouciance d'adolescent téméraire. Mais elle voulait tellement croire en ce bel allié, qu'elle finit par se laisser aller à l'optimisme. Quand Kendhil lui annonça qu'elle devait se préparer à fausser compagnie aux Maraudeurs, l'incrédulité le partagea à l'émerveillement :

« Maintenant ? Mais enfin, seigneur Kendhil, c'est impossible ! Voyez comme nous sommes enfermés dans cette arène de chariots. Seriez-vous magicien ? Comptez-vous nous rendre invisibles ? À moins que vous ne nous changiez en oiseau !

– En oiseau, oui, c'est presque ça, répliqua joyeusement le jeune elfe. Il faut que je vous explique, ainsi qu'à votre aïeul, comment cela va se passer. Je dois aussi vous prévenir que la clé de la réussite sera la confiance. Doutez un seul instant, et vos chances s'évanouiront comme... comme les fumées de ce feu. »

Disant cela, il se tourna vers le grand et vigoureux foyer que les Burgonnais avaient allumé au centre de leur aire de détention. Les mercenaires leur avaient autorisé ce confort, car la nuit s'annonçant fraîche, ils ne tenaient pas à livrer à leur client des travailleurs fiévreux.

Kendhil se tourna vers la jeune fille pour ajouter :

« Et s'il vous plaît, oubliez le seigneur. Ou alors autorisez-moi à vous appeler princesse.

– Pourquoi pas ? » murmura Clivi avec un sourire charmeur.

Ils se rapprochèrent de maître Far qui s'était assis, adossé à la roue d'un chariot ; il fixait le feu d'un air triste. L'annonce de leur départ imminent ne produisit pas sur lui le même effet que sur sa petite-fille. D'abord étonné, il s'agaça ensuite de ne rien comprendre à ces « extravagances ». Mais quand Kendhil révéla enfin le point fort de son plan, il laissa échapper une exclamation qui attira sur eux plusieurs regards intrigués :

« Un dragon !

– Oui, maître Far, mon dragon, confirma l'elfon à mi-voix. Il s'appelle Karlo.

– Mais enfin, objecta le vieil homme, il ne pourra jamais nous transporter tous les trois !

– Je lui demanderai de ne s'occuper que de vous deux. Il vous ramènera à Burgon...

– Et vous, Kendhil ? le coupa Clivi.

– Soyez sans crainte, il ne m'oubliera pas. »

Un silence suivit, durant lequel le jeune elfe goûta l'effet produit par sa révélation.

« Et les archers ? songea subitement maître Far. Je ne tiens pas à ce que nous rentrions chez nous transformés en pelote d'aiguilles.

– Vous avez raison. C'est pourquoi, avant que Karlo ne réponde à mon appel, nous mettrons le feu aux chariots.

– Êtes-vous sérieux ? souffla le vieil homme.

– Bien sûr ! Mais laissez-moi vous expliquer... »

Quand l'elfe eut terminé son exposé, le maître du fer resta silencieux, indécis et cependant plein d'espoir.

« Que deviendront les autres ? s'inquiéta Clivi. Nous ne pouvons pas les abandonner à un sort plus qu'incertain. Partir seuls serait... Non, c'est inconcevable. »

Kendhil haussa les sourcils. Quel étrange raisonnement ? Pour un Sentinelle, l'équation « deux rescapés valent mieux que zéro » n'amenait aucune discussion. Malgré tout, il percevait vaguement ce problème de conscience typiquement humain.

« Renoncez-vous à partir ? » demanda-t-il.

Maître Far parut soudain se réveiller :

« Pas du tout ! Simplement, je suis contrarié que nos compatriotes n'aient pas notre chance. »

Il émit un profond soupir de résignation, puis lâcha :

« Hâtons-nous de les informer.

– Et s'ils refusent qu'on incendie le camp ? s'inquiéta Clivi.

– Eh bien... nous le ferons quand même ! » trancha le vieil homme avec agacement.

Une fois la nuit complètement tombée, maître Far et Clivi commencèrent à avertir les leurs, par petits groupes, afin de ne pas alarmer leurs ravisseurs, qu'une évasion se préparait. Chacun allait devoir choisir d'en profiter, ou non. Kendhil assista à une scène hallucinante aux yeux d'un Sentinelle : les Burgonnais s'agitaient, parlant de plus en plus fort, circulant à grands pas d'un clan à un autre, se prenant même parfois au col. Puis ils se scindèrent en deux camps : l'un réunissait les partisans de l'action, l'autre les opposants qui préféraient ne rien faire, aussi stupide que cela paraisse. Cette situation aurait sans doute duré toute la nuit si les Maraudeurs n'avaient pas fini par s'inquiéter de cette effervescence de champ de foire. L'un d'eux réclama le silence. Maître Far s'avança vers le foyer, s'empara d'un brandon enflammé, puis, le levant comme un étendard, lança la seconde phase du plan :

« Que ceux qui veulent vivre libres m'imitent ! Que les autres, les futurs esclaves, se taisent ! »

Enfin, ils se décident ! pensa Kendhil. Les partisans du coup de force se précipitèrent pour s'armer à leur tour d'une torche, puis courir mettre le feu aux voitures. Avant peu, celles-ci s'embrasaient entièrement, formant une muraille de flammes qui cernait les otages terrorisés. L'objectif était de créer une barrière de protection contre les archers des Maraudeurs, dont le dragon de Kendhil saurait profiter pour enlever Clivi et maître Far. Une fois les chariots consumés, plus rien n'empêcherait les captifs de s'éparpiller dans la nuit, de préférence vers la forêt et en priant leurs dieux de les protéger. Khendil resterait jusqu'au bout pour coordonner ce sauve-qui-peut général. Cela fait, il attendrait Karlo qui certainement, dans l'intervalle, aurait eu le temps de revenir. Et l'affaire serait réglée. Cette stratégie

convaincante comportait malheureusement une faiblesse : elle ne prenait pas en compte un paramètre stratégique, les Maraudeurs...

« À vous d'agir, Kendhil ! » s'écria Clivi en le rejoignant.

L'elfe se défit d'abord des vêtements humains qui l'engonçaient, puis il libéra sa chevelure. Redevenu lui-même, il poussa son cri d'appel... une fois, deux fois, trois fois... dix fois ! Sans résultat.

« Karlo ! » hurla-t-il au comble de l'inquiétude.

Près de lui, Far et sa petite-fille échangèrent un regard angoissé : *Dieu de nos ancêtres, qu'avons-nous fait ?* se disaient-ils.

C'est alors que les Maraudeurs se manifestèrent. L'une des charrettes fut violemment déplacée, puis tirée sur la prairie par plusieurs chevaux à l'aide de longues cordes. Une dizaine de mercenaires, arc en main, vinrent se camper devant la brèche. Craignant pour leur vie, les otages prirent leurs distances, autant que le leur permettait le cercle de feu. Kendhil réalisa soudain que l'opération prenait un tour inattendu, mais qui n'empêcherait pas son alter ego d'intervenir... s'il le voulait bien.

L'incertitude ne dura pas davantage, car soudain une masse énorme prit position dix toises[1] au-dessus du campement.

1. Une toise équivaut à 6 pieds (environ 2 mètres).

« Karlo ! Enfin te voilà ! » s'exclama l'elfon.

Les bourrasques produites par le battement des ailes du monstre se mêlèrent aux tourbillons des incendies. Les otages, qui pourtant avaient été prévenus, hurlèrent d'épouvante à cette apparition. Submergés par la panique, certains tentèrent de fuir en se jetant entre deux chariots, ramassant au passage les flammes qui les transformèrent en torches vivantes.

« Karlo, il faut que tu emportes maître Far et Clivi ! cria Kendhil. Mais avant, tu dois éloigner les archers et... »

L'elfe s'interrompit, car les humains, pris d'une folie soudaine, s'engouffraient en masse dans la brèche. Ils bousculèrent le rang d'archers, mais au-delà furent interceptés par des groupes de Maraudeurs qui les plaquèrent au sol les uns après les autres, puis les ficelèrent avec une rapidité inouïe.

« Vite, Karlo, emporte nos amis !

– Et toi ?

– Tu reviendras me chercher plus tard. Va ! Va ! »

Le dragon estima qu'il valait mieux agir que réfléchir. Il descendit jusqu'au sol sans se poser et ouvrit les serres de ses pattes postérieures, afin que Clivi et son grand-père puissent s'y réfugier.

C'est alors que survint un dernier imprévu...

· 10 ·
LA LONGUE MARCHE

Karlo venait à peine de refermer ses serres sur le corps des deux humains, qu'Igmar le Preux fit son apparition, l'épée au fourreau, la cape rejetée sur les épaules. Derrière lui accourait un groupe d'archers.

« Ne bougez plus, ou vous êtes morts ! » s'écria le chef des Maraudeurs.

Les gardes mirent un genou à terre et bandèrent d'un même mouvement leurs arcs, dont on entendit grincer les cordes. Karlo jeta un regard vers Khendil qui s'était écarté de quelques mètres, puis vers les archers, et comprit que ce n'était pas sur les humains que pesait la menace, mais sur son compagnon.

« Pars, Karlo ! C'est un ordre ! » lança ce dernier.

Les dragons d'Hélion n'étaient pas plus des animaux domestiques que des serviteurs idiots. Ils possédaient un libre arbitre au moins aussi affirmé que celui d'un elfe, et d'un caractère tout aussi entêté. Ce n'est donc pas à son alter ego qu'il obéit, ni au chef des Maraudeurs, mais à la sagesse.

« Karlo, qu'est-ce que tu fais ? pesta l'elfon.

– Plions-nous aux exigences de la réalité, afin de la soumettre plus tard à notre volonté », grommela le dragon.

Le jeune Sentinelle hocha la tête avec résignation. Son échec était patent.

« Entendu, seigneur Igmar, nous avons perdu », reconnut-il.

Clivi et son grand-père retrouvèrent leur liberté de mouvement. Karlo se posa à côté d'eux. Ses dimensions étaient telles, que les flammes léchaient presque son flanc droit. Comme la plupart des dragons, il résistait assez bien aux morsures du feu. Mais ce soir-là, il n'en supporta pas la caresse. D'un coup de tête fauchant, il fit voler les deux chariots les plus proches qui manquèrent de peu d'écraser quelques mercenaires.

Igmar le Preux s'approcha, se donnant un air de tranquille assurance alors qu'à l'évidence, la présence du monstre grondant le terrifiait. Il se planta devant Kendhil, bras croisés, le visage fermé.

« Je ne pensais pas vous revoir un jour, seigneur elfe, commença-t-il. Je ne comprends pas ce qui vous a amené à vous mêler de nos affaires, mais cela m'indiffère. Ce qui m'intéresse, c'est ce que je vais faire de vous.

– Vous n'avez qu'à m'éliminer, le provoqua Kendhil.

– C'est une possibilité », approuva le Maraudeur.

Le regard qu'il jeta vers Karlo montra qu'il ne tenait pas à finir déchiqueté par les crocs d'une telle créature, furieuse d'avoir perdu un être cher.

« Il en existe une autre, reprit-il, que je vous laisse regagner en paix vos montagnes. Mais elle n'est guère plus satisfaisante puisque, de paix, vous ne voulez point. J'imagine que si vous avez pris tous les risques pour sauver ces deux... personnes (il posa un regard froid sur Clivi et maître Far), ce n'est pas pour renoncer au premier échec.

– C'est exact, convint Kendhil. Il ne vous reste donc qu'une solution, nous libérer tous les trois. »

Le chef secoua négativement la tête.

« S'il s'était agi de n'importe lesquels des autres maîtres du fer, j'y aurais consenti, avec regret, mais je l'aurais fait. Malheureusement, le vieux Far est le plus talentueux, donc le plus cher... à mon cœur (il étira un bref sourire à ce bon mot). Je ne puis m'en séparer, trancha-t-il.

– Alors, libérez au moins ma petite-fille ! s'exclama le vieil homme.

– Grand-père, non ! Je refuse, protesta l'intéressée.

– Et moi de même, trancha Igmar le Preux. Car sans elle, vous savez bien que votre futur maître ne disposera d'aucun moyen d'obtenir le meilleur de votre art.

– Il vous faut pourtant bien prendre une décision, déclara Kendhil.

– La voici : je les garde en otage, et vous avec. C'est dit !

– Quoi ? Certainement pas !

– Il en ira pourtant ainsi. Je vais placer auprès de vous dix de mes meilleurs archers. À chaque instant, ils se tiendront prêts à vous exécuter...

– Karlo vous mettrait en pièces l'instant suivant, et tous vos sbires dans la foulée, le prévint Kendhil.

– Je le sais. Mais cette option est la meilleure puisqu'elle établit un équilibre de la peur. Une fois la transaction faite, votre nouveau maître fera ce qu'il veut de vous. Sachez que, de toute façon, je ne vous vendrai pas... Vous serez mon cadeau. »

Il prononça ces derniers mots avec un petit air affable que détesta l'elfon, puis il tourna les talons. D'un geste, il ordonna à ses Maraudeurs de s'occuper des trois otages.

Tandis qu'on le désarmait, Kendhil questionna son dragon :

« Que fait-on ?

– La prochaine fois que tu te lanceras dans une aventure aussi stupide, préviens-moi, que je t'en empêche », persifla Karlo.

Et il prit son envol en poussant un rugissement à la couleur de son humeur.

Quand un elfe est convaincu d'avoir agi au mieux, il ne rumine pas ses échecs, mais tente au contraire d'en tirer les meilleurs enseignements. Kendhil était ainsi. Pourtant, il ne parvenait pas à restaurer la paix en lui afin de réfléchir efficacement. Dans son esprit, les pensées se croisaient et s'entrechoquaient : tantôt il s'interrogeait sur les erreurs qu'il avait commises, tantôt il pensait à la déception de Clivi et de son aïeul. Tantôt encore, il essayait de trouver de nouvelles idées pour une autre évasion... La vérité, c'est qu'il culpabilisait. Pour un Sentinelle, ce sentiment était douloureux à l'extrême, même refoulé dans les tréfonds de son inconscient. Mais bien sûr, tel un démon qu'on enfermerait dans un puits en espérant qu'il se ferait oublier, il réussissait toujours à remonter pour tourmenter son hôte. Kendhil en eut la nausée ; il éprouvait une profonde lassitude. Sa souffrance était accentuée par l'isolement dans lequel le maintenaient les Maraudeurs. Car tandis que les otages avançaient groupés, étroitement encadrés par les sinistres silhouettes encapuchonnées, lui marchait seul en queue, cerné de sa garde personnelle.

De temps à autre, il scrutait le ciel que Karlo paraissait avoir déserté. En vérité, son dragon n'était jamais bien loin. Il se montra dans l'après-midi, accroupi en sphinx au milieu d'une pâture enclose que la colonne vint à longer. Telle une vache débonnaire, il regarda passer la troupe en faisant mine de ruminer. Mais les Maraudeurs n'eurent pas envie d'en rire, d'autant qu'il fusilla chacun d'eux de ses yeux de feu.

Ainsi s'écoula la journée.

La nuit ne fut pas d'un grand repos. La fraîcheur humide pénétrait les corps jusqu'aux os, et l'angoisse minait les volontés. Même les plus jeunes ne purent trouver le sommeil, sinon pour se réveiller en sursaut, secoués par leurs cauchemars. Les elfes Sentinelles avaient la faculté de pouvoir rester plusieurs jours sans dormir, sans que cela n'altère leurs facultés. Ils disposaient en outre d'une ouïe exceptionnellement fine et d'une vue relativement performante dans l'obscurité. Assis sur ses talons, Kendhil passa une grande partie de la nuit à écouter les chuchotements des Maraudeurs qui avait formé une ronde hermétique autour de lui, et à observer leurs moindres mouvements. Il espérait déceler leurs faiblesses, il ne constata que leurs forces : discipline, rigueur, silence, sobriété... Au matin, l'un des dix hommes affectés à sa garde s'approcha pour lui

apporter un bol de lait chaud, et libérer ses pieds et ses mains des liens qui les entravaient.

« Buvez, seigneur elfe, dit-il.

– C'est parce que mon alter ego est un dragon que vous me traitez bien ? » demanda Kendhil.

L'homme le dévisagea quelques secondes avant de répondre :

« Les Maraudeurs vivent du commerce de ce qu'ils volent, mais ils respectent le code d'honneur des compagnons de la légion d'Hugon, nos aïeux. Ils étaient amis avec les elfes, nous le sommes aussi... autant que possible. »

Il retourna occuper sa place dans le cercle. Kendhil but le lait, non par faim, mais par gratitude pour celui qui le lui avait apporté et l'observait avec une attention soutenue. Tout en appréciant la douce chaleur que diffusait en lui le breuvage, l'elfon eut alors l'étrange pensée qu'il n'hésiterait pas à le passer par le fil de son épée s'il avait à le combattre.

Igmar le Preux ordonna le départ et tout le monde se leva, prestement du côté des Maraudeurs, mollement concernant les otages. Une nouvelle journée de marche commençait, auxquelles cinq succédèrent, pareilles à la première, c'est-à-dire grises, froides et sans espoir. Au matin du septième jour, le chef des mercenaires vint trouver Kendhil au milieu de ses gardiens.

« Seigneur elfe, notre mission s'achèvera à trois lieues d'ici. Ce sera le début d'un second voyage pour les sujets de Burgon et vous-même sans doute. Notre commanditaire s'appelle Orst Fibhur, baron de Gonkar. C'est une crapule, mais il paie bien. J'ignore ce qu'il compte faire des gens que nous lui livrons, mais ce que je pressens ne me plaît pas. Aussi... »

Sa main gauche, jusque-là dissimulée sous sa cape, apparut. Elle tenait l'épée de Kendhil dans son fourreau.

« Dès que vous en aurez l'opportunité, tuez-le », termina-t-il en lui tendant l'arme.

L'elfon ne bougea pas.

« Que pressentez-vous, seigneur Igmar ? demanda-t-il, le regard posé sur sa lame.

– Le pire. Je ne puis en dire plus. Bonne chance. »

Le Maraudeur remit la dague à son propriétaire et tourna les talons. Ses hommes firent avancer le prisonnier, qui semblait ne pas avoir réalisé le sens profond de cette scène insolite, puis ils l'invitèrent à rejoindre les autres captifs. Aussitôt, Clivi accourut vers lui, un franc sourire illuminant son visage aux traits tirés par la fatigue et l'anxiété. Tout au long de cette pénible marche, elle avait attendu ce moment, le passant et le repassant dans son imagination. À présent qu'enfin il était arrivé, elle ne prononça aucun des mots qu'elle avait tant de fois répétés en pensée. Elle prit la main de Kendhil et

lui proposa de rejoindre son grand-père. L'elfe ne se déroba pas. Les sensations provoquées par le contact de cette paume et de ces doigts qui serraient sa main avec ferveur le déconcertaient.

Et la colonne se mit en marche...

• 11 •

UN BARON SOT, MAIS DANGEREUX

En fin de matinée, sous un ciel maussade, la colonne pénétra dans un campement militaire installé sur un plateau herbeux, légèrement surélevé. Autour s'étendait une lande déserte et triste, où les bosquets de pins noirs le disputaient aux bruyères géantes et à quelques pâtures. Kendhil comptait au moins une centaine de grandes tentes carrées, de toile jaune paille ou verte. Celle du baron, surmontée d'un étendard claquant au vent, occupait un vaste espace central auquel on accédait par une longue avenue. Prévenus par les trompes des guetteurs, les soldats de Gonkar vinrent former une haie de plus en plus compacte à mesure que les visiteurs progressaient vers le cœur du camp. L'elfon observait ces guerriers avec une curiosité fascinée. Il y avait des valets d'armes et des écuyers en surcot de toile matelassée, très jeunes pour la plupart, des lanciers, des soldats d'infanterie et des arbalétriers qui tous portaient leurs armes respectives. Ces derniers arboraient pour seule protection un plastron de métal, parfois une simple cotte de cuir lourd. Leurs officiers se distinguaient par un équipement un peu plus complet, dont un curieux casque affublé d'une crête de plumes. Enfin, ici ou là, le plus souvent montés sur de hauts destriers, se tenaient les chevaliers. Leur lourde armure rivalisait de rutilance, d'ornements ciselés et même d'incrustations de métaux précieux. Kendhil n'eut pas besoin d'user de sa sensibilité elfique pour deviner combien ces hommes étaient fiers d'eux-mêmes. Les regards que leur adressaient les captifs apeurés qui défilaient devant eux consacraient leur magnificence. Le jeune Sentinelle se faisait de la noblesse guerrière une tout autre idée, sans doute parce qu'il disposait d'un référent en comparaison duquel, ces cabots de l'arrogance étaient de fieffés nabots. Quand un chevalier d'Isuldain avait rendu visite à la communauté des Sentinelles d'Oriadith, Kendhil n'était encore qu'un elfant. Mais la vision de ce cavalier souriant, paré de bleu, majestueux dans sa simplicité, l'avait subjugué, tels ces dieux qu'on ne voit qu'en rêve.

Soudain, maître Far grommela en secouant négativement la tête :

« Non, ce n'est pas lui qui veut nous exploiter !

– Que dis-tu, grand-père ? l'interrogea Clivi.

– Quelque chose ne va pas, répondit le vieil homme en levant un regard anxieux vers la jeune fille. Il n'y a pas de fer sur les terres de ce baron, nous le savons. Et il n'y en a pas non plus chez l'un ou l'autre de ses rivaux qu'il pourrait conquérir prochainement. C'est donc qu'il envisage de nous revendre à un autre seigneur.

– À qui penses-tu ? »

Le vieillard marqua un long silence avant de répondre :

« Osgonth le Banni, finit-il par lâcher comme s'il avait prononcé le nom même du maître de l'Obscur.

– C'est impossible ! objecta Clivi. Ce monstre a été repoussé par l'armée impériale au-delà du désert de Sel...

– Justement ! Là-bas, il y a du fer ! Des gisements fabuleux, mais que nul n'a jamais pu exploiter, tant ces contrées sont invivables. Ma pauvre petite, dans quel enfer allons-nous pourrir ? »

Ses yeux pâles se mouillèrent de larmes. Mais il se ressaisit aussitôt, en colère contre lui-même, grommela un juron dans quelque ancien dialecte.

« Qui est cet Osgonth ? questionna Kendhil.

– Un prince déchu, répondit Clivi. Il a trahi l'empereur en s'alliant avec l'un de ses ennemis.

– Et le désert de Sel ?

– On raconte que c'est le fond asséché d'un océan. Ce qu'on sait avec certitude, c'est qu'il s'étend sur plus de mille lieues, qu'il n'y pousse pas un brin d'herbe, et qu'il est blanc comme la neige...

– Sauf les montagnes, qui sont rouges, rectifia maître Far. Si Osgonth a survécu à son exil, c'est là qu'il vit, dans des cavernes... ou des mines.

– Admettons que nous soyons effectivement vendus à ce prince, intervint Kendhil, il y a peut-être un espoir que l'empereur s'en mêle pour empêcher cela ?

– Hélas, non ! Isuldain ne se manifeste jamais dans ce type d'affaire, même quand elle implique les pires félons.

– Pourquoi ne le ferait-il pas ?

– Avez-vous une idée de la vastitude de l'Empire ? S'il devait se mêler de tous les malheurs des peuples, ce n'est pas une armée qu'il lui faudrait, mais dix... cent ! Non, vraiment, soupira le maître du fer pour conclure, c'est sans espoir de ce côté. »

Les Maraudeurs firent s'immobiliser la colonne, puis entreprirent de regrouper les otages par métiers. Kendhil fut mêlé aux maîtres du fer. À quelques pas de l'entrée de la tente du baron, Igmar le Preux attendait dans une immobilité parfaite que son client daignât se montrer. L'attente dura peu, car Fibhur était pressé d'examiner sa précieuse marchandise. Il apparut soudain, pour se camper sous l'auvent de toile, les pouces dans la ceinture, le menton haut, l'œil autoritaire... À l'évidence, il aimait se donner une prestance imposante. Pour arborer un faciès encore plus impressionnant, il s'était fait tatouer sur son crâne rasé l'emblème de ses armes : un dragon ! Kendhil songea que si ce sot prétentieux voyait son ami Karlo, il s'enfuirait en hurlant.

« Vous avez deux jours de retard ! s'exclama le baron.

– Certes, Votre Haute Seigneurie, répondit le chef des Maraudeurs en inclinant le buste, mais tous les maîtres du fer, ainsi que les meilleurs forgerons et artisans de Burgon, sont là. Nous avons même des apprentis. Et... une surprise.

– Une surprise ? Je veux voir ça. Sans délai ! »

D'un geste de la main, Igmar le Preux l'invita à examiner la livraison. L'opération se déroula comme une revue des troupes, à cette différence que les futurs esclaves dévisageaient leur nouveau propriétaire avec des regards noirs de haine. Quand les deux hommes se trouvèrent devant le groupe des maîtres du fer, l'intérêt du nouveau « propriétaire » s'aiguisa. Puis, brusquement, ses épais sourcils bruns se rapprochèrent.

« Ils sont douze ! Ne m'en aviez-vous pas annoncé dix ? s'étonna-t-il.

– Souhaitez-vous que j'en ramène deux à Burgon ? rétorqua le Maraudeur, un brin agacé.

– Non, bien sûr que je les prends. Et celui-là ? On dirait... »

Avec brutalité, le baron écarta un vieil homme, puis s'avança au milieu du groupe. Il s'immobilisa

devant Kendhil et le détailla avec autant de curiosité que de méfiance.

« Ma parole, mais c'est un elfe ! s'exclama-t-il. Igmar, regardez ses oreilles... Que fait-il là ?

– C'est la surprise, Votre Haute Seigneurie, annonça le Maraudeur. Un Sentinelle d'Oriadith... »

Le chef mercenaire marqua une légère hésitation, comme s'il devait en urgence trouver une explication plausible.

« Il était à Burgon, missionné par les siens pour acheter du fer. Mes hommes l'ont embarqué par erreur, avec un groupe d'apprentis un peu rétifs. »

Igmar le Preux planta son regard acéré dans celui de l'intéressé. Il savait que les elfes ignoraient le mensonge et craignait que celui-ci ne se trahisse par naïveté. Mais Kendhil avait déjà beaucoup appris sur les humains. En guise de réaction, il se contenta de plisser un sourire énigmatique.

« Est-il dangereux ? demanda Fibhur.

– Les Sentinelles d'Oriadith n'ont aucune aptitude au combat, répondit Igmar le Preux avec assurance. Celui-ci encore moins, puisque c'est un elfon. Il sera pour vous comme un jeune animal docile et curieux de tout. Je vous conseille d'ailleurs de le garder à vos côtés. Et en toutes circonstances, veillez à bien le traiter, car ces créatures sont extrêmement émotives et fragiles. »

Puis il ajouta, en regardant l'elfe avec bien-veillance :

« Un rien les tue.

– Ah bon... très bien, acquiesça le baron en se caressant le menton. Je le prends. »

Les traits de Kendhil se durcirent. Igmar le Preux comprit que l'elfe était sur le point de tirer sa dague dissimulée sous sa cape et d'attaquer, ce qui n'était évidemment pas le moment. Aussi prit-il l'initiative de se placer entre lui et son client, tout en invitant ce dernier à conclure sans plus tarder la transaction sous sa tente. Fibhur y consentit, puis se détourna. Il fallut quelques secondes à Kendhil pour parvenir à relâcher la pression de ses doigts sur la poignée de sa lame. Il prit une inspiration, puis adressa un sourire à Clivi.

« Cette bête stupide devrait être facile à tromper, estima-t-elle.

– Cet homme est sot, il est vrai, enchaîna son grand-père, mais cela ne le rend que plus dange-reux. »

Après une attente qui parut interminable aux otages, surtout qu'ils ne furent pas autorisés à s'asseoir malgré leur épuisement manifeste, les deux

chefs ressortirent de la tente. Autant le baron avait l'air satisfait et détendu, autant Igmar le Preux montrait un visage renfrogné, à la limite de la fureur. D'un geste autoritaire, ce dernier ordonna à ses hommes de se rassembler pour le départ. Les Burgonnais eurent alors le sentiment paradoxal de se retrouver tout à coup affreusement vulnérables. À petites foulées, des soldats de Gonkar vinrent remplacer les Maraudeurs. Igmar le Preux salua sèchement son commanditaire, puis fit volte-face. Il rejoignit ses compagnons et lança d'une voix forte un ordre qu'un seul esprit alentour pouvait entendre, bien que la prononciation fût assez éloignée de celle d'un elfe :

« *Adé anem, Kendhil, félis ti cadèm istro-a !* »

Le message s'adressait évidemment au Sentinelle.

« On croirait du langage elfique, remarqua maître Far.

– Qu'a-t-il dit ? » demanda Clivi.

L'elfon pensa la réponse : *Tuez-le, Kendhil, ne lui laissez aucune chance !*, mais il préféra la traduire ainsi :

« Il m'encourage à agir. »

• 12 •

L'AFFREUSE RÉVÉLATION

Les otages furent parqués dans un enclos préparé à leur intention, avec couches de paille et abris de toile en cas de pluie. Des valets en tablier leur apportèrent dans des auges normalement destinées aux cochons une nourriture abondante et répugnante, à laquelle nul ne toucha. Kendhil eut droit à un traitement spécial. Deux soldats de la garde personnelle du baron vinrent le chercher pour l'amener à leur maître, prenant soin de ne pas le brusquer, conformément à ses instructions. Fibhur s'empiffrait sous sa tente, seul derrière une table de bois carrée. À l'entrée du Sentinelle, il poussa une exclamation, puis agita une main graisseuse pour lui faire signe d'approcher. L'elfon montrait des signes de nervosité, serrant sur sa poitrine les pans de sa cape verte. Il ne simulait pas, car il craignait qu'on découvre la dague qu'il portait à la ceinture. S'inquiétant de ce comportement, un garde tenta de l'obliger à ouvrir son vêtement. Mais Kendhil se raidit en poussant un gémissement craintif.

« Laissez-le ! s'écria le baron. Vous a-t-on ordonné quoi que ce soit ? Reculez ! Cachez-vous, je ne veux plus vous voir. »

Ensuite, il invita l'elfe à venir s'asseoir sur un tabouret disposé de l'autre côté de la table. Kendhil comprit que cet humain répugnant comptait faire de lui son animal de compagnie. N'importe quel elfe de l'Empire aurait préféré mourir plutôt que de supporter un tel asservissement. Kendhil n'était pas différent de ses congénères sur ce point, mais avant d'en arriver à une solution extrême, il tenta un stratagème simple qui produisit son effet en moins de cinq minutes : il fit semblant de ne parler et comprendre que l'elfique. La colère du baron fut à la mesure de sa déconvenue. Il renvoya l'elfe à grands cris, comme on congédie un mauvais bouffon.

Le lendemain à l'aube, l'armée de Gonkar leva le camp. Les Burgonnais furent alors séparés en deux groupes, les maîtres du fer et les femmes les plus âgées embarquèrent dans des carrioles qu'on réquisitionna pour eux. Les autres, censés être plus endurants, durent marcher, encadrés par une cinquantaine d'arbalétriers. Kendhil resta avec Clivi qui lui avait promis de tenir tant qu'il serait là. En revanche, elle lui affirma qu'elle se donnerait la mort dès lors qu'ils seraient livrés à leur esclavagiste. Puis elle ajouta, après un long silence, comme pour elle seule :

« Mais sans doute serai-je morte avant.

– Pourquoi ce pessimisme, rien n'est encore perdu ? s'étonna Kendhil.

– Parce que c'est un voyage d'une année au moins que nous entamons là, répondit-elle. Je ne me crois pas capable de résister aussi longtemps.

– Et votre grand-père ?

– Il ne tiendra pas non plus. En fait, je me demande combien d'entre nous survivront à cette expédition. Le baron ne peut pas ignorer qu'elle sera semée d'embûches, d'accidents, de maladies de toutes sortes... Pour quel bénéfice à l'arrivée ? Certes, douze maîtres du fer représentent une certaine valeur, mais jamais elle n'égalera une telle somme de risques. C'est incompréhensible. »

Kendhil fronça les sourcils. Il se confirmait que les humains étaient par nature des créatures terriblement performantes dans l'art d'atteindre des sommets de stupidité. Ce baron paraissait même être un champion hors catégorie en la matière. Pour autant, son élimination sauverait-elle les otages ? Kendhil n'en était pas convaincu. Il leva les yeux. Le plafond nuageux était trop bas pour espérer apercevoir Karlo, et sans doute ne le verrait-il pas

de la journée. À cette pensée, un phénomène inconnu lui contracta à nouveau l'estomac. Plus insolite encore, ce sentiment lui inspira l'irrépressible envie de prendre la main de Clivi, comme s'il pouvait en retirer un réconfort. Il devina qu'il s'agissait d'une réaction typiquement humaine, et en fut profondément troublé.

Une grande partie de la journée, le ciel resta couvert et menaçant. Puis le vent se leva qui fit le ménage, provoquant l'apparition de trouées bleutées et finalement du soleil. C'est alors que les Burgonnais découvrirent une réalité qui les saisit d'effroi. La colonne ne se dirigeait pas vers le sud et ses déserts, mais vers le nord, très exactement le nord-est.

« Où nous emmène-t-on ? » cria un homme.

Personne n'osa prononcer la réponse à laquelle tout le monde pensait.

« Nous marchons vers le monde de l'Obscur », répondit Kendhil.

Et dans sa spontanéité d'elfon, il précisa :

« C'est à un seigneur orque qu'Orst Fibhur a l'intention de vous vendre. »

La révélation se répandit dans la colonne, comme le feu sur la poudre. Les Burgonnais s'arrêtèrent de

marcher et commencèrent à discuter avec véhé-
mence de la conduite à tenir. L'un d'eux sauta sur
un rocher affleurant le sol au bord de la route, puis
de là hurla qu'il valait mieux mourir tout de suite
que d'être vendu aux démons de l'Obscur. Un arbalétrier le fit taire d'un carreau dans la gorge. Un
mouvement de foule s'ensuivit, que parvint à grand-
peine à contenir le cordon de soldats. Les chevaliers
arrivèrent bientôt sur leurs puissants destriers. Ce
fut pour eux un beau moment d'amusement que de
courir derrière les quelques audacieux qui avaient
réussi à s'échapper, et de les ramener par la peau
du dos, tels des moutons échappés d'un troupeau.
Kendhil saisit le bras de Clivi et lui suggéra de ne pas
s'associer à cette agitation.

« Au contraire ! C'est le moment de tenter une
évasion ! s'exclama-t-elle.

– Je ne crois pas. Ce site n'est pas favorable. Le
bois est trop éloigné, de même que le village dans ce
vallon. Regardez comment sont rattrapés les fuyards,
ils n'ont aucune chance... Non, il faut attendre.
Cette nuit peut-être...

– Karlo ne pourrait-il intervenir ? insista la jeune
fille.

– Il le pourrait », admit laconiquement Kendhil.
Et il se tut.

Avant peu, le calme était revenu. Furieux, le
baron ordonna que les otages soient attachés les

uns aux autres par des cordes et traités comme des esclaves. Un officier demanda :

« L'elfe également, Votre Seigneurie ?

– Mais non, idiot ! Vous tenez à me le faire crever ? Que deux hommes s'occupent de lui, et correctement ! Ils en répondront sur leur vie ! »

S'adressant ensuite à sa *marchandise*, il promit deux exécutions pour une évasion, et une séance de torture à celui qui tenterait « ne serait-ce que de faire mine d'enlever la corde de son cou ». Sur ces menaces et une fois les entraves nouées, la colonne repartit. Kendhil retrouva sa position abhorrée de prisonnier de premier rang, isolé des autres avec l'arrière-garde. Commença alors pour lui une longue et pénible réflexion. Sa difficulté était cependant moins de savoir ce qu'il avait à faire, que d'en prendre la décision. Les options n'étaient pas légion, en effet. Compte tenu du nombre de soldats qui les encadraient et des conditions de leur transport, il fallait renoncer à toute idée d'évasion collective, et même individuelle. Sauf le concernant. Lui seul en effet pouvait espérer fausser compagnie à ses gardes-chiourmes. Ils le prenaient pour une sorte d'animal idiot qui suivait le mouvement sans rien y comprendre. Du coup, ils ne le serraient pas de trop près, ce qui faciliterait l'intervention de Karlo, le moment venu... La seule solution qu'imposait la logique était donc qu'il s'envole, seul, pour solliciter quelque part le secours d'une puissante troupe armée. Celle de Burgon n'étant pas de taille, il ne voyait qu'une seule possibilité : en appeler à l'empereur. Cela devenait envisageable depuis que la donne avait changé. Car en commerçant avec les orques, le baron enfreignait bien davantage qu'un simple principe moral ou une loi ; il violait un interdit sacré. Cette faute pouvait créer un fâcheux précédent, mais surtout, elle risquait de réveiller l'appétit des orques pour les richesses de l'Empire. C'était inacceptable !

Plus il y réfléchissait, plus le jeune Sentinelle était convaincu qu'il devait tenter sa chance. Mais pourquoi n'arrivait-il pas à se décider ? Il prit alors conscience que chaque fois qu'une opportunité se présentait et qu'il s'apprêtait à appeler Karlo, le visage de Clivi s'imposait à son esprit, comme un brutal rappel à l'ordre : *Tu n'as pas le droit de partir sans elle*, ni bien sûr sans son grand-père. Cela finit par l'agacer prodigieusement et l'aida à laisser trancher la sagesse : ne plus penser et laisser agir sa part elfique.

• 13 •
LA CHUTE DU DRAGON
D'HÉLION

L'occasion qu'il guettait depuis des heures se présenta en fin d'après-midi. La colonne s'était engagée sur un flanc de montagne, la route se transformant en un sentier rocailleux qui frôlait par endroits un à-pic vertigineux. Au loin, dans un virage, il avait repéré un éperon rocheux, dominant une profonde gorge au creux de laquelle bouillonnait un torrent. La hauteur lui parut suffisante pour un saut de l'ange. Par contre, la proximité du versant opposé ne laisserait guère de marge de manœuvre à Karlo lorsqu'il surgirait pour le saisir au vol.

Kendhil réprima un frisson et refoula toute pensée défaitiste.

En raison de l'étroitesse du chemin, la colonne s'était étirée interminablement. Ne pouvait tenir de front qu'une ligne d'otages encordés par le cou, marchant du côté de la montagne, et une file d'arbalétriers de Gonkar qui jetaient de temps à autre des regards inquiets vers l'abîme. À mesure qu'il montait, l'elfon éprouvait une intense émotion. Il retrouvait un environnement familier où le vent feulait contre les reliefs, où le regard caracolait sur les sommets chaotiques et où l'esprit se délectait du vertige. Karlo ne pouvait être loin. Bien qu'il ne le vît pas, il le sentait tout proche, derrière cette crête peut-être ou bien ce piton.

À cent pas devant, Kendhil pouvait apercevoir la chevelure blonde de Clivi qui avançait entre deux jeunes gens de son âge. Parvenue à la hauteur de l'escarpement, elle s'immobilisa, comme saisie d'un pressentiment. Soudain, elle se retourna pour regarder Kendhil qui lut alors sur son clair visage à la fois de la frayeur et de l'espoir. Un arbalétrier l'invectiva, puis la bouscula pour qu'elle avance. Résignée, elle reprit sa lente marche. L'elfe fut pourtant persuadé qu'elle souriait.

Ayant à son tour atteint l'étroite terrasse, légèrement surélevée, il quitta le sentier pour y grimper. Affolés, ses gardes le suivirent tout en le rappelant, mais sans trop élever la voix de crainte de l'effrayer et sans doute aussi d'attirer l'attention de leurs officiers. Kendhil leur adressa un geste d'apaisement, puis gonfla ses poumons pour lancer son cri d'appel, une si parfaite imitation de celui de l'aigle que très peu d'hommes levèrent le nez pour repérer dans le ciel le présumé rapace. Le Sentinelle recommença deux fois.

« Qu'est-ce qui lui prend ? s'interrogea l'un des soldats.

– J'en sais rien et je m'en fiche ! répliqua l'autre. On l'attrape et on le descend de là.

– D'accord, mais sans le brusquer. Manquerait plus qu'il nous claque entre les doigts. »

L'elfe se déroba en douceur aux quatre mains qui se tendaient vers lui. Simulant la peur, il recula jusqu'à l'extrême pointe de la corniche. Là, il informa Karlo de son projet en écartant les bras comme un oiseau. Les arbalétriers blêmirent.

« Le fou ! s'épouvanta l'un d'eux. Reviens, petit, c'est dangereux ce que tu fais là.

– Il a peur de nous. Reculons un peu », préconisa son acolyte.

Alors même qu'il poussait son quatrième cri d'appel, Kendhil aperçut enfin la silhouette de son dragon, en aplomb de la tête de colonne et du baron Fibhur, campé fier et droit sur son grand étalon noir. Le mastodonte écailleux venait de décoller d'un rocher cerné de pins rabougris, depuis lequel il n'avait rien raté de l'avancée de la colonne dans la gorge. S'il ne s'était pas manifesté dès le premier appel, c'est sans doute parce qu'il voulait être sûr d'avoir compris les intentions de son compagnon. Maintenant qu'il savait, cela ne semblait pas lui convenir, car il lança un rugissement de colère qui fit frémir tous les humains. De nombreux éclats de voix résonnèrent dans la gorge :

« Un dragon ! Il va attaquer ! Sauve-qui-peut ! »

Kendhil se tourna face au vide.

« Non ! Seigneur elfe, s'il vous plaît, ne faites pas ça ! » le supplia l'un de ses gardiens.

Et l'autre d'enchaîner :

« Si vous sautez, nous serons mis à mort ! »

L'elfon leur jeta un regard indifférent par-dessus son épaule.

« Vous n'avez qu'à me suivre », lâcha-t-il.

Et il se laissa basculer dans le gouffre. Alors seulement, il se rendit compte que le relief formait, à moins de cent coudées en aplomb du promontoire, un dôme forestier qui n'autorisait aucun droit à l'erreur à son alter ego.

« Karlooo ! » hurla-t-il.

Le dragon fondit sur lui, tel un aigle sur une proie, ses ailes à demi repliées provoquant un puissant mugissement. Les humains, médusés, assistèrent ensuite à un spectacle hallucinant. Moins d'une coudée au-dessus de la cime des arbres, Karlo parvint à agripper de sa patte antérieure droite l'une des jambes de l'elfe, mais pas assez fermement puisque l'instant suivant il lui échappait. Son réflexe fut alors de basculer sur le côté droit afin d'accompagner Kendhil dans sa chute. Il le rattrapa de justesse, mais ne put rétablir son assiette. Il s'écrasa sur les frondai-

sons et disparut dans un fracas de branches brisées. Comme victime d'un sortilège, la colonne tout entière resta pétrifiée de stupeur, jusqu'à ce qu'une femme pousse un hurlement que l'écho diffusa à travers la montagne. Puis, d'un coup, le silence retomba. Terrassée par la détresse, Clivi s'était évanouie.

Devant l'impossibilité d'obtenir rapidement un rapport sur le résultat de cette chute spectaculaire, le baron remit sa troupe en marche. Il n'oublia cependant pas d'ordonner que les deux soldats, responsables de la garde de l'elfe, rejoignent celui-ci par le plus court chemin. Leurs cris déchirants résonnèrent dans l'étroite vallée, mettant un point final à l'incident.

Kendhil ouvrit un œil, puis l'autre. Au-dessus de lui, une trouée dans les frondaisons lui permettait de voir le ciel gris. Des branches brisées oscillaient encore. Il n'avait donc perdu connaissance que quelques secondes.

« Suis-je transfosé ? » se demanda-t-il quand même.

Personne ne lui répondit. Il se rendit alors compte qu'il était allongé sur un sol bombé et... (il tâtonna) écailleux ! C'était le corps de son dragon.

« Karlo ! » s'exclama-t-il en roulant sur le ventre.

Son ami était allongé sur un lit de branchages arrachés dans sa chute, la tête en arrière, les yeux fermés. De sa gueule béante sortait une longue langue violette et fourchue. Craignant le pire, Kendhil rampa jusqu'à la tête du dragon et lui souleva une paupière, plus large que sa main.

« Karlo, réponds-moi, tu n'es pas mort, n'est-ce pas ? »

Le monstre émit un grondement caverneux :

« Je fais la sieste, ça ne se voit pas ? »

Rassuré, l'elfon se décontracta et plaqua son front contre l'énorme cou de Karlo.

« Ça, c'est un vol plané ! souffla-t-il.

– Je dirais plutôt un vol plombé, rectifia son dragon. Bon, maintenant qu'on est censés être morts, à quoi joue-t-on ?

– Tu ne devrais pas plaisanter, Karlo. La situation est vraiment grave. Les Maraudeurs ont vendu leurs otages à un baron, qui lui-même compte les revendre à un seigneur orque.

– Je vois, dit Karlo, pensivement. C'est donc pour cela que vous marchiez vers le nord. Commercer avec l'Obscur est un crime grave ; ce maraud n'a pas dû en mesurer les risques.

– Tant mieux ! Car c'est une chance pour nos amis...

– *Nos* amis ? souligna Karlo. À part toi et quelques vieux magiciens du fin fond du monde, je n'ai aucun ami... à ma connaissance du moins.

– Ne m'interromps pas, s'il te plaît. Tu vas m'emmener à Éa-Kyrion...

– La capitale de l'Empire ! Ne me dis pas que...

– Mais si, je le dis !

– Tu veux rencontrer l'empereur Isuldain ? Ne t'a-t-on jamais dit que cette cité est gardée jour et nuit par des dragons d'Helfeu ? Certes, comparés à nous autres d'Hélion, ce ne sont que de chétifs lézards volants, mais ils sont nombreux. »

Troublé, Kendhil réfléchit un moment avant de trancher :

« On passera en force ! »

Karlo redressa la tête pour le dévisager d'un œil sévère.

« Tu plaisantes, j'espère ? »

Le jeune Sentinelle se laissa glisser au sol. Donnant une tape sur le flanc brun rouge de son compagnon, il lança :

« Allez, gros fainéant, en route ! Le temps presse. »

Karlo s'accorda à son tour quelques secondes de réflexion.

« Mouais... pourquoi pas ? finit-il par consentir. Ce pourrait être amusant. Mais je t'avertis, seigneur Kendhil, tu devras t'accrocher. »

Peu après, un formidable battement d'ailes alerta l'arrière-garde de l'armée de Gonkar, encore en vue sur la route de la gorge. Alors que les deux amis s'élevaient dans les airs, la nouvelle de leur résurrection remonta toute la colonne, tel un frisson. Orst Fibhur se mordit les lèvres de regret. Il avait commis une terrible négligence en n'envoyant personne dans le vallon s'assurer que l'elfe et son dragon étaient bien morts.

« On force le pas ! » ordonna-t-il.

Pour lui aussi, le temps était compté.

• 14 •
ALERTE AÉRIENNE
SUR ÉA-KYRION

« Plus vite, Karlo, plus vite ! » criait Kendhil, allongé sur le dos de son ami, les mains agrippées à la naissance de ses ailes.

Ils survolaient un paysage de moyennes montagnes, couvertes de sombres forêts trouées de rares pâtures vert tendre.

« Je ne peux pas, rétorqua le monstre, à cause des vents contraires. »

Kendhil connaissait assez bien son ami pour comprendre que ce n'était pas la résistance de l'air qui le ralentissait. Un dragon d'Hélion avait sa fierté ; il n'avouait jamais spontanément une faiblesse.

« Où as-tu mal ? »

Karlo cessa de battre les ailes pour se laisser planer.

« Nulle part... enfin, c'est l'estomac.

– Ah ? Alors économise-toi.

– Au contraire, il faut que je me soigne. Mais il n'y a rien, ici ! »

Kendhil comprit enfin de quoi il retournait quand sa monture piqua brusquement vers une ferme, bâtie en lisière de forêt. Ce qui intéressait Karlo broutait tranquillement dans un champ proche : tout un troupeau de moutons noirs, bien gras. L'un d'eux n'eut pas le temps de voir venir l'attaque.

Une fois ce casse-croûte englouti, Karlo annonça :

« Il m'en faut un autre !

– Je préférerais que tu évites le bétail des humains. Trouve-toi un mets plus... sauvage. »

Le dragon gronda de mécontentement, mais voulut bien quand même se rabattre, en guise de dessert, sur un gros lièvre.

Le voyage dura la journée, puis la nuit suivante. Aux premières lueurs de l'aube, Karlo annonça enfin que la capitale impériale était en vue. Kendhil s'était assoupi, allongé sur le dos entre les ailes de son ami, mains sous la nuque. À l'instar des mammifères marins, les elfes ont la faculté de pouvoir mettre en sommeil une moitié de leur cerveau, tandis que l'autre demeure en état de vigilance, de ne dormir que d'un œil en somme. L'elfon se redressa et se mit à genoux. Il fut alors saisi d'émerveillement par une vision à laquelle il s'attendait pourtant. Car dans son elfance, on lui avait décrit cette cité grandiose, qui concentrait disait-on les plus incroyables curiosités de l'Empire. Il avait imaginé de somptueuses constructions de pierre immaculée. Elles étaient là, teintées de rose par le jour naissant. Il avait envisagé de vastes parcs où prospéraient les arbres les plus majestueux. Il en compta au moins trois, de véritables lacs de verdure. En revanche, il fut déçu par les remparts, dont on lui avait vanté le gigantisme. Ils avaient été débordés par le développement des faubourgs, s'y retrouvant enchâssés et, du coup, paraissaient moins impressionnants.

Malgré la distance qui les séparait encore d'Éa-Kyrion, le Sentinelle réalisa qu'il se trouvait déjà confronté à un grave souci : où était le palais d'Isuldain ? Dans son esprit, celui-ci devait forcément être le plus grand, le plus haut, le plus beau de tous. Or, des palais grands, hauts et beaux, il y en avait partout. Dix... quinze, au moins ! Karlo dut sentir cette inquiétude, car il demanda, persifleur :

« Et maintenant, où Sa Seigneurie souhaite-t-elle que je la dépose ? »

Sur le même ton, Kendhil lança :

« Au milieu, maître dragon ! »

La chance, et surtout leur bonne vue, permit qu'à l'approche de la cité ils dénichent le palais d'Isuldain grâce à un étendard portant ses armes et flottant au faîte d'une toiture à faible pente, recouverte de tuiles plates vernissées, d'un vert émeraude éclatant. Il se dressait effectivement en plein cœur de la capitale et était d'une conception fort différente. C'était un véritable vaisseau d'albâtre. Derrière, s'étendait un parc arboré qui constituait un site d'atterrissage idéal. L'envol de plusieurs oiseaux géants leur confirma, s'ils pouvaient encore en douter, que l'approche de la capitale ne serait pas de tout repos.

« Voici le comité d'accueil ! annonça Karlo d'une voix enjouée.

– Que comptes-tu faire ? demanda Kendhil, vaguement anxieux.

– Vérifier s'ils sont à la hauteur de leur réputation. »

Le dragon fit claquer plusieurs fois ses mâchoires ; sa manière de rire dans sa barbe.

« Tu veux bien me déposer avant, s'il te plaît ? demanda Kendhil, ne plaisantant qu'à demi.

– Trop tard ! Accroche-toi ! »

Sur cette recommandation, Karlo amplifia le battement de ses ailes pour prendre rapidement de l'altitude. Kendhil sentait contre lui le roulement et la tension brutale des muscles de son alter ego. Ce qui lui inspira une sensation de puissance telle, qu'elle chassa toute peur.

Les sentinelles aériennes d'Éa-Kyrion avaient décollé de nids aménagés au sommet d'épaisses colonnes de pierre verte, dressées en divers points

de la cité. Apparemment, seuls les dragons chargés de la surveillance de la zone sud de la capitale étaient en vol, car ils n'étaient que dix sur une trentaine de gardes. Leur taille ne dépassait pas les deux tiers de celle de Karlo, mais ils étaient armés d'une dentition qui n'avait rien à lui envier. Leurs écailles foncées tiraient sur un vert glauque caractéristique des grands marécages du centre de l'Empire, d'où ils étaient originaires. Autre différence, leurs pattes antérieures paraissaient atrophiées comparées à celles de Karlo, dont ce dernier se servait avec autant d'efficacité que des deux autres.

Un premier groupe de trois individus vint se positionner sur la trajectoire de l'intrus, lequel afficha un comportement pacifique ostensible. Ils commencèrent des manœuvres d'intimidation, accompagnées de rugissements menaçants : simulacres d'attaque, claquements de mâchoires, vrilles rasantes... Kendhil nota qu'ils ne semblaient pas posséder le don de la parole (excessivement rare chez les dragons) et n'étaient de ce fait sûrement pas doués de raison. Ils n'en étaient que plus dangereux, estima-t-il.

« Holà ! J'ai très peur ! railla Karlo, après qu'un congénère plus audacieux que les autres lui eût rasé le museau.

– S'il te plaît, ne perdons pas de temps, s'agaça son compagnon. Tu joueras plus tard, pendant que je rencontrerai l'empereur.

– Bien, maître. Attention, il va y avoir du vent dans les voiles ! »

Karlo adopta alors une technique de chasse propre aux spécimens de son espèce. Il referma subitement ses ailes, plaqua ses pattes le long du corps et de la queue, puis se laissa chuter tête en avant comme une flèche qui retombe. Les dragons d'Helfeu furent débordés et, quand ils comprirent que l'étranger ne faisait que prendre de la vitesse pour filer en rase-mottes vers la capitale, il était trop tard. L'un d'eux eut le malheur de tenter d'intercepter seul la comète rouge ; il fut percuté et finit dans un champ, les ailes en croix.

En quelques minutes, l'elfe et son dragon atteignirent les faubourgs de la ville. Puis ils dépassèrent les remparts, alors que de toute part convergeaient vers eux les autres sentinelles volantes. L'une d'elles parvint à refermer ses mâchoires sur la queue de Karlo qui poussa un rugissement de douleur, et y resta fixé dans l'intention évidente d'alourdir sa victime. Un deuxième, puis un troisième de ces chiens hargneux parvinrent de la même manière à s'accrocher à ses pattes. Pourtant, Karlo réussit à atteindre le palais impérial, à le survoler, non sans arracher quelques tuiles, puis à atterrir en catastrophe à l'arrière dans une cour tapissée d'une pelouse soyeuse, renversant au passage une statue de naïades dans une fontaine.

Dans le choc, Kendhil fut projeté à terre. Il se releva aussitôt, mais fut impuissant à aider son ami à se débarrasser des trois boulets vivants qui l'entravaient. Deux autres dragons verts atterrirent, mais eurent la sagesse de rester hors de portée des crocs de Karlo. Se contentant de glapir et de faire claquer leurs mâchoires, ils attendaient d'être plus nombreux pour se jeter sur l'intrus et le mettre en pièces.

C'est alors qu'arrivèrent les soldats du palais...

·15·
L'ENTREVUE

Les gardes impériaux ordonnèrent à cor et à cri aux dragons verts de s'écarter. Ils étaient une centaine, armés de lances et de puissantes arbalètes, protégés par une carapace en plaques de condoul recouvertes d'un tissu écru. Kendhil connaissait cette matière végétale rare dans laquelle étaient fabriquées ces armures. Douce au toucher, souple et légère, elle était d'une résistance supérieure au fer, tout en absorbant les chocs comme de la mousse.

Un officier, reconnaissable au panache de plumes rouges qui ornait son casque à nasal, s'avança. Il considéra d'abord Kendhil, puis Karlo, s'interrogeant sur l'alliance improbable de ces deux créatures.

« Êtes-vous un Sentinelle d'Oriadith, ainsi qu'il y paraît ? demanda-t-il.

– Je le suis. Mon nom est Kendhil. Voici Karlo, dragon d'Hélion et néanmoins mon alter ego. Nous sommes désolés de cette arrivée un peu... comment dire ? intempestive. Mais nous sommes porteurs d'une nouvelle qui nous dispensait des formalités d'usage.

– Quelle nouvelle ?

– Je la réserve à l'empereur. Pouvez-vous me conduire à lui ? »

La naïveté de la réplique étonna d'abord l'officier, qui répondit d'un air narquois :

« À l'empereur, voilà une requête originale. Nous allons étudier la question. Si vous voulez bien me suivre. »

Kendhil acceptait d'être pris pour un ingénu, pas pour un imbécile.

« Faites-lui savoir que de graves événements se préparent à la frontière avec l'Obscur. »

Le seul nom de l'Obscur suffit à faire perdre son assurance hautaine à l'officier.

« Très bien, je vais transmettre votre message. Attendez ici.

– Non, je préfère venir avec vous, cela gagnera du temps, le contredit Kendhil. Soyez sans crainte pour Karlo, il restera là. Il sera même ravi de pouvoir s'amuser un peu avec ses semblables.

– Semblables ? s'offusqua l'intéressé. Quels semblables ? Je ne vois autour de moi que des animaux stupides et des humains qui ne le sont pas moins. Et peut-être aussi un elfe un peu horripilant par moments. »

Abasourdi d'entendre parler un dragon, l'officier fut définitivement convaincu qu'il avait à traiter une affaire dont l'importance le dépassait. Il changea de ton pour déclarer :

« Veuillez me suivre, seigneur Kendhil. Mes hommes s'occuperont de votre alter ego. »

Karlo ne pouvait pas sourire, mais ses yeux suffisaient à exprimer ses sentiments, en l'occurrence la goguenardise.

Le jeune Sentinelle fut guidé jusque dans un petit salon des appartements impériaux. Durant ce long parcours, il découvrit tant de merveilles, aperçut tant de curiosités sur lesquelles il aurait été incapable de mettre un nom, croisa tant d'humains dans des uniformes inconnus ou des habits somptueux à l'excès, qu'il en éprouva un véritable vertige.

« Tout le palais est-il ainsi ? questionna-t-il.

– Bien sûr, répondit l'officier. N'oubliez pas que vous êtes au centre du monde. La maison de l'empereur se devait d'en être le joyau.

– Ah ? » fit l'elfon dubitatif.

Voilà qui bouleversait sa vision de l'Empire, telle que la lui avaient transmise ses aînés. Pour les Sentinelles, le monde ne pouvait avoir de centre puisque la beauté, la vie, mais aussi la mort, y étaient partout présentes. Puis il réalisa que son guide ne parlait évidemment que du monde humain. Celui-là, effectivement, gravitait autour d'un axe central et ne reconnaissait qu'un unique point de référence, l'empereur Isuldain.

« Vais-je vraiment le rencontrer ? » demanda-t-il, comme s'il s'interrogeait à voix haute.

En guise de réponse, l'homme sourit et l'invita à se mettre à son aise, puis il sortit. Kendhil commença à explorer la pièce, tel un elfant curieux. Rien que dans ce minuscule espace, étaient réunies un nombre considérable de bizarreries. Par exemple, posée sur la tablette de pierre rose d'une cheminée monumentale, une représentation en métal doré d'un animal quadrupède, au museau allongé et à la queue en panache. Kendhil le connaissait sous le nom de « loup ». Mais jamais il n'en avait vu comme celui-ci, affublé de grandes ailes. Entre deux magnifiques fauteuils recouverts de tissu blanc, dans une jatte de cristal posée sur un guéridon, se trouvaient de curieuses friandises ressemblant à des fleurs cristallisées dans le sucre. C'était très beau et diablement tentant... irrésistible pour un jeune elfe un peu gourmand. Il s'empara de l'une d'elles, constituée d'une corolles de pétales rouges disposés en spirale. Il la porta à son nez et s'étonna qu'elle ne dégageât aucun parfum... Après l'avoir considérée quelques instants, il ouvrit la bouche pour en croquer un morceau.

« Attention, cela ne se mange pas ! » l'avertit soudain une voix derrière lui.

Il fit volte-face. Son cœur ralentit et ses yeux bleu-vert prirent une expression farouche. Une silhouette gracieuse, longiligne, se tenait devant l'une des hautes fenêtres de la pièce. Dans le contre-jour, elle ressemblait à une fée, l'une de ces créatures éthérées nimbées de lumière.

« Oui... bien sûr, balbutia l'elfon en reposant la fleur. Dommage.

– Ou alors avec les yeux », précisa la dame.

Sur le coup, Kendhil crut qu'il avait affaire à une femme. Mais il découvrit vite, avec autant de stupéfaction que d'émerveillement qu'il s'agissait d'une elfe. Elle était plus grande que lui, avec une chevelure blanche aux reflets bleutés, coiffée en tresses fines qui se répandaient, aussi souplement que des mèches, sur ses épaules et dans son dos. Ses yeux sombres avait un regard difficile à soutenir, tant ils captaient l'attention, pour ne pas dire... la capturaient. C'est à sa longue robe bleue, serrée à la taille par une fine ceinture d'or, qu'il identifia la communauté à laquelle elle appartenait. Et cela accrut encore son admiration. C'était une elfe des mythiques cités d'Errundhil. On les croyait mythiques, car nul n'y avait accès. On n'en connaissait que ce que les légendes en racontaient. Kendhil avait entendu parler de cette couleur presque magique de leurs vêtements, un bleu nuit si profond qu'il créait l'illusion que l'étoffe était un fragment d'espace.

L'elfe attendit qu'il fût un peu remis de ses émotions pour s'adresser à nouveau à lui :

« Je suis Élissande Ona, l'esprit des communautés elfiques auprès de l'empereur. »

Kendhil ignorait ce que cela signifiait, mais il remit à plus tard les questions. Il salua l'elfe avec déférence, puis déclara :

« L'empereur doit savoir qu'un seigneur humain s'apprête à commercer avec l'Obscur. »

La femme elfe ne dissimula pas son incrédulité.

« Comment pareil crime serait-il possible ? Il n'y a rien au-delà de la frontière maudite qui puisse intéresser un sujet de l'Empire.

– Sans doute que si, puisque ce baron a fait enlever les maîtres du fer, les forgerons et apprentis de la ville de Burgon. Il les mène en ce moment même à marche forcée vers le nord-est.

– Si ce que vous annoncez est vrai, c'est très grave. Si grave que c'est... inconcevable.

– Bien que je ne les aie côtoyés que peu de temps, j'ai pu constater que certains humains sont très doués dans l'art de l'inconcevable. »

Élissande Ona acquiesça en baissant le regard.

« C'est juste. Quel est le nom de ce baron ?

– Orst Fibhur.

– Comment se fait-il qu'un elfe Sentinelle soit au courant de cette affaire ? »

Kendhil se demanda comment il devait présenter son récit, pour le rendre à la fois crédible et concis. Il envisagea de s'y prendre à la manière elfique, en utilisant la puissance du *mot qui dit tout*, un mode de communication qu'on enseigne à tous les elfants. Malheureusement, il n'était guère doué en ce domaine. À la vérité, il éprouvait les pires difficultés dès lors qu'il devait prononcer des mots en elfique, car cela nécessitait une aptitude à maîtriser la puissance des sons que bizarrement il ne possédait pas.

« Parce que je suis justement un Sentinelle », se contenta-t-il de répondre.

L'elfe d'Errundhil hocha la tête, puis demanda :

« Qu'attendez-vous de l'empereur ?

– Qu'il envoie une armée pour empêcher cette transaction.

– Ce n'est pas si simple, même pour un empereur.

– Quelle est la difficulté, dame Élissande ?

– Elles sont plurielles. Dès lors qu'une affaire implique l'Obscur, des espions doivent être envoyés sur place, puis un conseil extraordinaire convoqué qui étudiera diverses mesures à prendre... »

Kendhil hésitait entre se mettre en colère ou rire de dépit. Il ne trouva qu'un mot pour exprimer ce qu'il ressentait :

« Inconcevable. »

Les yeux d'Élissande changèrent d'expression. Elle souriait intérieurement.

« C'est bien mon avis », murmura-t-elle.

Elle s'avança dans la pièce. Kendhil se demanda un instant si elle planait ou marchait vraiment. Puis, d'un geste gracieux, elle l'invita à prendre place face à elle dans l'un des deux fauteuils. Elle s'empara d'une fleur cristallisée et, tout en la contemplant, déclara :

« Je veux maintenant tout savoir de vous et de ce qui vous a conduit à vous impliquer dans de tels événements.

– Pardonnez-moi, dame Élissande, mais je ne suis pas venu pour converser dans un salon. »

Son interlocutrice fixa sur lui un regard si sévère qu'il en fut totalement décontenancé.

« Moi non plus », répliqua-t-elle.

Kendhil comprit le message et s'exécuta.

Son récit achevé, le jeune elfe conclut :

« À présent que vous savez tout, je dois vous laisser. Je vais retourner vers ces humains et tenter avec Karlo d'en sauver quelques-uns. »

Amer du sentiment d'avoir perdu un temps précieux, il se leva et salua la dame d'Errundhil. Il n'osa toutefois pas tourner les talons sans avoir reçu en retour ne serait-ce qu'un regard. Or, elle semblait partie dans une profonde réflexion qui s'éternisait. Quand enfin elle leva ses yeux à l'iris bleu nuit, il éprouva une vive crainte, comme si elle s'apprêtait à lui interdire cette expédition « inconcevable ».

« Jeune Kendhil, je vous demande de retourner auprès de votre dragon et de patienter.

– Patienter ? s'exclama l'intéressé, ne pouvant contenir sa spontanéité. C'est... Pardonnez-moi, dame Élissande, mais c'est trop me demander.

– Ce n'est pas un ordre, précisa-t-elle sur un ton paisible. Sachez seulement que je vais essayer de parler à l'empereur.

– Dois-je craindre que ce soit long ? »

La dame le considéra comme s'il représentait une énigme.

« Votre réaction est étrange, finit-elle par murmurer, comme pour elle-même. Par moments, j'ai l'impression de m'adresser à un humain. »

Sur cette déclaration, que l'elfon reçut comme un coup au ventre, elle se leva et quitta le salon. Par la même porte, réapparut l'instant suivant l'officier de la garde impériale. Sans un mot, il ramena Kendhil dans la cour où l'attendait Karlo. Autant son compagnon revenait le cœur lourd et l'esprit tenaillé par l'anxiété, autant le dragon était aux anges. Plusieurs serviteurs du palais avaient été dépêchés auprès de lui, pour s'occuper de son bien-être, comme s'il avait été un grand seigneur. On lui avait apporté quelques friandises, sous forme de quartiers de viande de première qualité et d'eau parfumée. En outre, suprême délice ! deux serviteurs armés de balais-brosses avaient entrepris de le frotter énergiquement. Les quelques dragons verts de la garde impériale, qui observaient la scène du haut de leur colonne-perchoir, semblaient fulminer de jalousie.

Le retour de son compagnon ne suscita donc pas une joie extrême chez le monstre.

« Déjà ? » marmonna-t-il entre ses crocs.

Il gronda de plaisir, car on commençait à le gratter derrière les oreilles, plus exactement les plaques cornées qui, de chaque côté de sa tête, lui protégeaient la gorge.

« À voir ta mine, tu n'as pas obtenu ce que tu voulais, reprit-il, les yeux mi-clos.

– Je ne sais pas encore. Il faut attendre.

– Très bonne nouvelle... Plus bas dans le cou ! Un peu plus sur la nuque, s'il vous plaît. »

Les serviteurs s'exécutèrent, redoublant d'énergie et lançant des regards en coin vers la gueule hérissée de crocs monstrueux. La scène amusa Kendhil, malgré son humeur maussade.

« Raconte-moi », demanda Karlo, avant de laisser échapper un long soupir de béatitude.

L'elfon eut tout le temps de lui fournir un compte rendu détaillé et commenté de son entrevue avec

Élissande Ona, car durant plus de trois heures, personne ne vint leur apporter de nouvelles, bonnes ou mauvaises. Enfin, un claquement de serrure du côté du palais signala l'approche d'un visiteur. Deux huissiers en uniforme blanc poussèrent les lourds battants de bois clair de la porte en arcade, puis se mirent au garde-à-vous. Apparurent alors l'elfe d'Errundhil et un militaire vêtu de bleu azur, équipé d'un rutilant plastron d'armure doré. Le visage autoritaire, encadré d'une courte barbe poivre et sel, donnait à cet homme la prestance d'un commandant en chef. Kendhil reconnu avec certitude un chevalier d'Isuldain. Il remarqua avec intérêt le tube métallique qu'il tenait dans sa main droite : sur le couvercle étaient finement ciselées les armes de l'empereur. Bien qu'il fût parti dans une sieste digne d'une hibernation, Karlo fut le premier à réagir. Il releva la tête et chercha du regard son alter ego. Celui-ci s'était installé non loin de là, dans un arbre où il s'était accordé lui aussi un sommeil réparateur.

« Kendhil, accours, s'il te plaît », l'appela-t-il.

L'elfon ne mit pas dix secondes à venir se planter devant la dame d'Errundhil. Elle lui présenta l'homme qui l'accompagnait sous le nom de seigneur Archémidia, Premier chevalier d'Isuldain. La présence de ce personnage éminent, quasi légendaire pour une grande partie de la population de

l'Empire, impressionna le Sentinelle. Pas suffisamment cependant pour le priver de la parole :

« Puis-je espérer que nous pourrons compter sur l'intervention de l'empereur ? »

L'elfe acquiesça d'un infime hochement de tête. Ce fut alors au Premier chevalier de parler :

« L'empereur estime que l'affaire de ce baron Fibhur est assez sérieuse pour que nous nous en inquiétions. C'est pourquoi il a ordonné que soit envoyé à sa rencontre un contingent de chevaliers d'Isuldain. »

Le fougueux Kendhil vit immédiatement surgir une objection :

« Pardonnez-moi, seigneur Archémidia, mais le temps qu'ils arrivent... »

Le Premier chevalier l'interrompit d'un geste.

« Laissez-moi terminer, s'il vous plaît. D'après vos dires, cet homme et ses otages seraient en train de franchir le col de Menildhuil. Cela signifie que d'ici deux ou trois jours, il traversera les plaines et les forêts du comté d'Ambrune...

– Et que dans trois jours, ils seront en vue du monde de l'Obscur, enchaîna Kendhil qui décidément avait du mal à maîtriser sa fébrilité.

– Le long de cette frontière, nous possédons plusieurs forteresses, et dans chacune une garnison de chevaliers d'Isuldain. Celle du château de Merr-Mont ne serait qu'à deux jours à cheval du lieu le plus probable de la transaction. Avec votre dragon d'Hélion, vous vous rendrez à Merr-Mont. Dans ce fourreau de messager, vous trouverez une carte grâce à laquelle votre alter ego pourra s'orienter, ainsi qu'un ordre signé de ma main pour le capitaine Uslho qui commande cette garnison. Avez-vous des questions, seigneur Kendhil ?

– Une crainte seulement. Le baron est escorté d'une véritable armée. Serons-nous assez nombreux pour la vaincre ?

– Il ne sera pas question de combattre, répondit le Premier chevalier. La seule présence de chevaliers d'Isuldain devrait suffire à faire entendre raison à ce félon. Dans le cas contraire... »

L'officier eut un sourire sans ambiguïté signifiant : *Il perdra la tête avant de comprendre son erreur.* À demi rassuré, Kendhil le remercia, puis regarda la dame d'Errundhil. Elle n'avait pas cessé de l'observer durant ces échanges. L'elfon avait perçu combien elle était troublée par son tempérament impulsif, habituellement étranger aux elfes Sentinelles. Cela l'amena à prendre une décision : résoudre le moment venu le mystère de ses origines.

• 16 •

LE GUIDE DE L'OBSCUR

Clivi ferma les poings et contracta les mâchoires. Cela faisait un moment que l'envie de pleurer la tenaillait, mais elle refusait d'y céder. Depuis que l'elfe d'Oriadith s'était envolé avec son formidable ami, à aucun moment elle n'avait désespéré. Bien au contraire, elle était convaincue qu'il allait revenir les sauver, elle et son grand-père. Pour les autres, elle s'était fait une raison, se disant que leur sort ne tenait qu'à leur propre courage, que ce fût pour tenter une évasion ou rejoindre leurs ancêtres dans l'au-delà. Elle était restée dans cet état d'esprit optimiste, réussissant même à le communiquer à son aïeul, jusqu'à ce qu'ils pénètrent dans cette zone affreuse. Son cœur avait commencé à se serrer lorsqu'ils avaient traversé le premier village en ruine. Les sinistres moignons de pierre, émergeant des ronces et des bosquets de bouleaux, portaient encore la noirceur incendiaire des événements tragiques qui avaient balayé cette région, deux ou trois décennies plus tôt. Puis il y eut cet alignement de cadavres momifiés, crucifiés dans un champ près d'une charrette disloquée. Un soldat avait chuchoté qu'il s'agissait probablement de marchands qui s'étaient perdus un jour de brouillard, ou peut-être une nuit, que leur famille devait sans doute attendre encore. Les otages s'étaient demandés s'il leur avait raconté cette histoire par cruauté ou parce qu'il partageait un peu de leur terreur.

Trois jours étaient passés depuis l'évasion de Kendhil. La frontière avec l'Obscur était proche, si proche que l'air se glaçait et s'assombrissait davantage à chaque mètre parcouru. Dans les chariots qui transportaient les otages les plus âgés ou affaiblis, on se battait presque pour jeter des regards à l'extérieur, comme si cela pouvait être rassurant de vérifier par ses propres yeux que le cauchemar était réel. Depuis peu, la colonne était entrée dans un bourg fantôme. La plupart des maisons étaient encore debout et avaient gardé leur toit. Mais pour nombre d'entre elles, les fenêtres n'avaient plus de volets ni d'huisserie, transformant les façades en sinistres visages percés d'orbites noires.

Les derniers lambeaux d'espérance avaient été ainsi engloutis par ce décor macabre.

Voilà pourquoi Clivi avait tant envie de pleurer. Son grand-père, parce qu'il n'en pouvait plus d'étouffer dans le tombereau de la mort avec les

autres maîtres du fer qui ne cessaient de se lamen-
ter, marchait avec elle, prenant appui sur son bras.
Quand il avait sauté à terre, les archers qui encadraient le convoi n'avaient pas réagi, ce qui en
disait assez sur leur propre malaise.

Après une traversée du bourg sans incident, la tête
de l'armée dut s'arrêter sur une petite place, devant
la porte nord. Un groupe de soldats se précipita pour
dégager le passage, obstrué par les battants de bois
disloqués qui gisaient en travers. Soudain, l'un d'eux
poussa un cri, autant de surprise que d'alerte. Sur le
pont-levis miraculeusement préservé, se tenait un
homme monté sur un noir destrier. Il devait être là
depuis un moment, mais personne ne l'avait remar-
qué, si bien que les soldats reculèrent, convaincus
qu'il s'agissait d'un spectre.

Orst Fìbhur s'entretenait le moral dans un chariot en engloutissant un repas de prince, quand il
fut prévenu de cette inquiétante apparition. Il se
hâta de gagner à cheval l'avant de la colonne qui
piétinait sur l'avenue. En apercevant au-delà de
l'enceinte fortifiée la silhouette sombre, parfaitement immobile de l'individu, il réprima un frisson.
Il jeta des regards inquiets autour de lui, comme s'il
se demandait quel officier il allait désigner pour
parler à sa place. Puis il se ravisa. Il était le chef, à
lui donc de surmonter les appréhensions que lui

inspirait cette rencontre. Il bomba le torse, puis talonna sa monture. Mais celle-ci refusa d'avancer.

« Vas-tu m'obéir, sale carne ! » grinça-t-il entre ses dents.

L'animal bronchait obstinément. Sur le pont-levis, l'inconnu décida d'avancer. Quand il eut franchi le porche, les soldats et officiers qui entouraient le baron purent enfin le détailler, mais n'en furent pas rassurés pour autant. Sa tête et une partie de son visage étaient enturbannées d'un tissu gris ne laissant voir qu'une paire d'yeux noirs, dont le blanc était injecté de sang, surmontés d'arcades sourcilières proéminentes et broussailleuses.

« Est-ce un orque ? interrogea un chevalier, à la droite du baron.

– Non, répondit celui-ci à voix basse. Enfin, je ne crois pas. L'émissaire que je lui ai envoyé pour négocier mon affaire prétendait qu'il "n'en était pas un, mais presque". Il serait issu d'un croisement.

– Vous voulez dire qu'il s'agirait d'un... ? »

Le baron l'interrompit d'un geste, car l'individu approchait. Il s'arrêta puis, d'une inclinaison du buste, salua le baron et son état-major. Sous une cape ample, uniformément grise, il portait un plastron de guerre en cuir noir et une épée au côté.

Un courant d'air balaya soudain la placette, glaçant le sang des soldats de Gonkar.

« Vous êtes en retard », fit remarquer le personnage.

Sa voix, légèrement étouffée par son turban, était grave et rocailleuse, à l'image de son visage qu'on soupçonnait grossier.

« Peu importe puisque je suis là, répliqua le baron d'une voix mal assurée, malgré de vaillants efforts pour montrer son autorité d'airain.

– Le problème, c'est que mes maîtres pensent déjà que vous vous êtes moqués d'eux. Vous avez intérêt à leur présenter une marchandise d'exception.

– Elle l'est. Et de leur côté, ont-ils apporté ce que j'ai réclamé ?

– Nous le vérifierons le moment venu.

– Quand et où cela doit-il se passer ?

– Pas loin d'ici, sur la frontière que mes maîtres n'ont point le droit de franchir, ainsi que vous le savez. »

Le baron acquiesça d'un mouvement de tête nerveux. Il fut alors saisi d'une inquiétude, bien singulière pour un homme aussi peu sensible aux souffrances d'autrui :

« Les Burgonnais seront-ils bien traités ?

– Aussi humainement que possible, s'ils font ce qu'on attend d'eux.

– Bon, je vous crois... Pouvons-nous conclure l'affaire dans l'heure ?

– Il faudra attendre la nuit.

– Ah ? Puis-je savoir comment nous allons procéder ?

– Vous devrez laisser votre troupe armée en retrait, car la vue d'un trop grand nombre d'armes indisposerait mes maîtres.

– C'est que...

– Ils n'ont pas confiance dans les humains. Vous effectuerez vous-même la livraison, en vous faisant seconder de vos chevaliers si vous y tenez. La marchandise sera présentée poings liés. Une fois la frontière franchie, elle sera prise en charge par mes maîtres.

– Et mon paiement ?

– Nous avons tout prévu, ne vous souciez point. Le charroi vous attend déjà sur place. Vous ne serez pas déçu. »

Le baron essaya de se détendre en prenant une profonde inspiration. Forçant un sourire bienveillant, il invita l'intermédiaire à venir prendre une collation dans sa charrette personnelle.

« Merci, seigneur, mais il nous faut partir tout de suite. Je serai votre guide. »

Il fit faire demi-tour à sa monture, puis retraversa la porte.

Une fois de l'autre côté de la muraille, il leva les yeux vers le ciel et fixa un point noir qui se déplaçait en cercles lents au ras du plafond nuageux.

·17·
L'ÉCHANGE

Karlo observait le minuscule cavalier noir qui venait de franchir le rempart de la ville fantôme. Il disposait d'une acuité visuelle exceptionnelle, que tous les aigles de l'univers lui auraient enviée. Pourtant, il ne put se faire une idée précise sur cet individu. Était-ce un orque ou un humain ? La colonne, avec à sa tête le baron Fibhur et ses chevaliers, se mit en branle derrière lui. Il ne leur faudrait sans doute pas plus de deux heures pour gagner la frontière de l'Obscur. Si l'échange avait lieu dans la foulée, Kendhil pouvait dire adieu à ses amis. Le dragon, que cela aurait dû a priori laisser indifférent, en éprouva une contrariété qui le surprit. « Voilà que je m'humanise ! » ironisa-t-il en pensée.

Un peu plus tôt, il avait pris le risque d'aller survoler la frontière, matérialisée par un mur de moellons, en relatif mauvais état. Il avait alors assisté à l'approche d'une importante troupe de cavaliers orques, épaulée d'arbalétriers et de fantassins. En tout, cela faisait plus d'une centaine de guerriers armés jusqu'aux dents, comme l'étaient de toute façon tous les orques. Ils avaient apporté six charrettes, tirées par des paires de buffles ; l'une d'elles était remplie d'objets hétéroclites, dont bon nombre d'armures et d'épées. Les autres transportaient chacune une cage de fer.

Karlo n'était pas un grand spécialiste en stratégie militaire, mais à l'évidence les créatures de l'Obscur avaient choisi un terrain à leur avantage, au cas où la transaction tournerait à l'épreuve de force. Au point de rencontre, la muraille était effondrée sur quatre ou cinq toises, de quoi faire passer un gros charroi. Du côté des orques s'ouvrait un large espace caillouteux, au-delà duquel s'élevaient les contreforts rocheux d'un massif de hautes collines, sillonnées de vallons plus ou moins encaissés. La configuration du côté Empire était à peu près similaire, à cette nuance près qu'avant d'atteindre la brèche dans le mur, il fallait traverser un pont de pierre enjambant un torrent.

L'espion ailé survola encore un moment le secteur, jusqu'à ce qu'il songe qu'après tout, il n'était peut-être pas trop tard pour sauver les humains de Burgon. En quelques battements d'ailes, il atteignit sa vitesse maximale. Ensuite, il lui fallut moins d'une heure pour parvenir en vue des chevaliers

d'Isuldain, partis de la forteresse de Merr-Mont deux jours plus tôt. À l'approche de leur objectif, ils avaient accéléré l'allure dans l'espoir d'atteindre la ville fantôme avant la nuit. Véritable fer de lance de l'expédition, au côté du capitaine Uslho, Kendhil menait la troupe, monté sur un superbe coursier alezan. Mais cela ne plut pas à Karlo car le fer de lance, c'est aussi celui qui reçoit le premier coup.

Le crépuscule dura peu, écourtant les affres de l'attente pour le baron Fibhur. Son armée et sa « marchandise » étaient au repos dans les prés le long de la rivière. Il n'avait cependant pas ordonné de monter les tentes, pressé qu'il était de s'éloigner au plus vite de cette région maudite, dès la transaction effectuée, fût-ce par une nuit où l'on ne verrait pas le bout de son nez. Le négociateur enturbanné était resté quant à lui planté à l'entrée du pont, littéralement statufié sur sa monture, scrutant obstinément vers le nord. Pas une seule fois, il n'avait mis pied à terre, ne fût-ce que pour satisfaire aux nécessités de la nature. Quand enfin il bougea, le baron sentit son cœur bondir dans sa poitrine. Il s'était fait apporter son fauteuil à haut dossier, pour surveiller à son aise l'intermédiaire et surtout la brèche dans la haute muraille délabrée, au-delà de laquelle il allait perdre son âme.

« Mon cheval, vite ! » exigea-t-il.

L'entremetteur calma son empressement d'un signe de la main :

« Inutile de vous hâter, seigneur, dit-il. Je dois d'abord aller informer mes maîtres que tout est prêt pour l'échange. Lorsque je réapparaîtrai sur la frontière et vous ferai signe, vous me rejoindrez avec vos chevaliers et la marchandise. Veillez à ce que les prisonniers ne s'agitent pas durant la livraison, cela vous obligerait à les punir, et nous perdrions du temps inutilement.

– Ils seront ligotés et bâillonnés si besoin », promit le baron.

Le négociateur acquiesça d'un hochement de tête puis s'en alla. Dès qu'il eut traversé le pont, le baron sauta en selle. Il se rendit auprès des Burgonnais que les soldats avaient rassemblés sur la route, où ils grelottaient de froid autant que de peur. On eût dit un contingent de damnés en partance pour l'enfer. Leurs gardes-chiourmes les avaient mis en colonne par quatre, maîtres du fer en tête.

« Écoutez-moi, vous tous ! les interpella Fibhur. L'heure est venue de vous confier à votre nouveau seigneur... »

Il fut interrompu par une volée d'injures et de supplications.

« Allons, allons, du calme, reprit-il avec un geste d'apaisement. Laissez-moi terminer. Je vais passer un marché avec vous... Entendez-le bien et respectez-le à la lettre, car il n'est pas négociable, et je serai sans pitié envers ceux qui ne sauront pas se maîtriser. »

Le silence retomba et les visages changèrent d'expression, la haine et la terreur laissant place à une pitoyable espérance.

« Les cordes qui remplaceront vos chaînes et lieront vos poignets ne seront pas serrées. Aussi, le moment venu, pourrez-vous vous libérer et tenter votre chance. Mais attention ! Vous ne ferez rien avant le son du cor, c'est-à-dire tant que je n'aurai pas retraversé la frontière avec le trésor du roi Bhur, qui fait l'objet de cette transaction... »

Malgré la situation, de nombreux Burgonnais écarquillèrent les yeux, car ce trésor était réputé d'une valeur inestimable. Il avait disparu lors de la dernière confrontation entre l'Obscur et l'Empire, à l'occasion d'une brève mais dévastatrice incursion des orques sur les terres du comté d'Ambrune.

« Mes arbalétriers seront postés sur le mur et vous couvriront, tandis que vous regagnerez l'Empire par la brèche. Ainsi, il ne sera pas dit que j'ai commercé avec l'Obscur, mais bien au contraire que je l'ai... (il pouffa bêtement) brillamment entourloupé. Si vous ne respectez pas notre accord...

– Quel accord ? lança une voix.

– Écoutez, ne me compliquez pas la tâche ! s'énerva le baron. Le premier qui bronche avant l'heure, je le tue de mes propres mains. »

Sur cette menace, il tourna bride en grommelant :

« Je leur sauve la mise, et encore ils discutent. Ingrats ! »

Quand la colonne se remit en marche, Clivi serra contre elle le bras de son grand-père.

« Il faut tenir, il le faut, il le faut », murmurait-elle comme une litanie.

Elle avait cessé de scruter le ciel, car elle croyait Karlo, comme tout animal diurne, incapable de se diriger dans l'obscurité, particulièrement opaque ce soir-là. Et ce n'était certainement pas la lumière des flambeaux, tenus par les soldats qui les encadraient, qui pourrait la dissiper.

Dans un silence de procession funèbre, la colonne franchit le pont, puis la courte distance menant à la brèche. Au passage de la frontière, les esprits les plus fragiles craquèrent, et l'on entendit monter les premiers pleurs et autres lamentations. Les plus énergiques se faufilèrent jusqu'à eux, afin de les aider à ne pas céder à la panique. En tête de cortège, le baron, tendu à l'extrême, serrait les dents. Il avait chargé ses soldats d'abattre tout prisonnier qui tenterait de s'échapper, fût-ce un maître du fer. Pour se rassurer, il songea à ses arbalétriers qui étaient en train de grimper sur la muraille et avaient pour mission de le protéger, lui d'abord... et lui seulement.

La vision sur sa gauche de la charrette contenant le trésor du roi Bhur, *son* trésor, lui fit un instant oublier ses inquiétudes. Les armures rutilantes et les épées qui dépassaient des ridelles ne l'intéressaient pas. En dessous, il devinait les énormes coffres renfermant l'or et les joyaux de l'infortuné souverain. À l'inverse, l'angoisse des Burgonnais monta d'un cran en découvrant à droite, chargées sur des chariots, les cages de fer qui les attendaient, panneau arrière ouvert. Au fond de l'esplanade caillouteuse, se tenaient les orques, en un groupe compact dont il était difficile d'évaluer l'importance en raison de l'obscurité.

Soudain, un cavalier s'en détacha et vint se planter au milieu de la place. L'entremetteur fit signe aux humains de s'immobiliser. Le chef des orques s'avança encore, mais pas plus que nécessaire. Il se mit ensuite à considérer, non pas le baron et ses chevaliers, mais derrière eux, la marchandise dont il venait prendre livraison. Fibhur n'avait jamais combattu les orques, il n'en avait même jamais vu en chair et en os, mais il savait à quoi ils ressemblaient. Pourtant, il fut terriblement impressionné par la puissance que dégageait celui qu'il avait devant lui. Plus grand et plus musclé qu'un homme de belle stature, il était enveloppé dans une toge en grosse toile grise qui laissait voir au niveau du cou le bord d'une carapace en matière noire, du cuir ou peut-être du fer. Ses bras nus étaient recouverts d'un fin pelage alors que, bizarrement, son visage à la peau grise comme la pierre de lave était imberbe. Ses traits grossiers suggéraient un esprit primitif, capable de la pire sauvagerie. Mais il ne fallait pas s'y tromper, songea-t-il encore, ces créatures étaient au moins aussi retorses que lui.

Soudain, l'orque prit la parole :

« *Ourou-dakaï abé ida. Kaï rouka !* »

L'entremetteur traduisit :

« Le chef de la tribu des Kari-Kaïr vous dit : "Prenez votre dû, seigneur humain, et partez !" »

Le baron mit quelques secondes à réagir. Les yeux de son vis-à-vis, dans lesquels étincelait le feu des flambeaux, exprimaient une telle haine qu'il en était subjugué de frayeur.

« Partez, vite ! répéta le négociateur. Vous êtes en danger. »

Le baron s'extirpa enfin de sa torpeur.

« Nous partons, acquiesça-t-il. Mais avant, je veux vérifier que leur part de contrat est bien remplie. Chevalier Cordha, allez jeter un œil dans les coffres. »

Le soldat talonna aussitôt sa monture. Visiblement inquiet, l'entremetteur expliqua la situation à l'orque qui ne dut pas apprécier l'initiative, puisqu'il poussa un hurlement rauque en levant un poing menaçant. Bizarrement, il se calma d'un coup et esquissa un étrange sourire.

« *Erou-taï aka ita ourou-babêïda*, déclara-t-il.

– "À votre convenance. Nous emportons notre part" », traduisit l'entremetteur.

Sur ces mots, le chef orque tourna bride. Il chevaucha jusqu'aux Burgonnais et, criant des ordres de cette voix profonde et rocailleuse qui le classait définitivement dans le règne animal, il chassa les gardes-chiourmes du baron, lesquels ne se firent pas prier pour déguerpir. Un important groupe de soldats orques vint les remplacer en petites foulées.

C'est à cet instant que la situation bascula...

·18·

LE BILAN DES DISPARUS

Dans le cliquetis de sa belle armure luisante, le chevalier Cordha mit pied à terre. Il marcha jusqu'à l'arrière de la charrette dans laquelle étaient entassés pêle-mêle, armements et coffres à ferrures cloutées. Ce fatras avait toutes les apparences de la négligence ; mais il se rendit compte qu'il avait été arrangé de telle sorte qu'aucune serrure ne fût facilement accessible, et que soulever un couvercle nécessitât de s'y mettre à plusieurs. Pressentant la mystification, il tira d'un fourreau attaché à sa ceinture un coutelas avec lequel il frappa le flanc d'un des coffres. En quelques coups, il pratiqua une trouée assez large pour passer la main. Ce qu'il avait craint se confirma, le coffre était vide. Plutôt que de pousser de grands cris, il remonta à cheval et rejoignit tranquillement son maître.

« Baron Fibhur, faites sonner le cor, dit-il.

– Comment ? Qu'est-ce que... ? »

Comprenant que la situation allait mal tourner, l'entremetteur prit prudemment le large. Un chuintement traversa l'esplanade et s'acheva par un choc métallique. L'instant suivant, Cordha s'effondrait sur l'encolure de son destrier, terrassé dans le dos par un trait d'arbalète. Dès lors, tout s'enchaîna comme dans une embuscade. Une pluie de projectiles s'abattit sur l'escorte du baron, tuant plusieurs hommes. Le son du cor s'éleva dans la nuit, appelant à la rescousse la troupe restée sur le pied de guerre, de l'autre côté de la frontière. Chevaliers et fantassins mêlés s'élancèrent sur le pont, puis s'engouffrèrent dans la brèche. De part et d'autre, les arbalétriers de Gonkar, juchés sur la muraille, tiraient au jugé sur un ennemi quasiment invisible dans la nuit. Mais cela ne dura pas, car ils virent surgir de l'obscurité une troupe d'orques à cheval, bientôt renforcée par des troupes à pied. Le temps d'une respiration, les deux armées étaient au contact pour un corps à corps sans merci, que le rougeoiement des quelques flambeaux brûlant çà et là au sol, rendait un peu plus dantesque. Qu'ils fussent à pied ou à cheval, les orques étaient comme des taches de nuit évoluant autour d'adversaires qui, à l'inverse, étaient facilement repérables aux reflets que lançaient leurs protections de métal. Des cibles idéales pour les archers de l'Obscur.

Du côté des otages, la confusion était aussi complète. Avant même que le cor ne résonne, Clivi s'était débarrassée des cordes mal nouées à ses poignets. Elle délivra son grand-père, puis l'entraîna par la main hors du cercle des gardiens orques, per-turbés par l'ouverture subite des hostilités. Avec les Burgonnais, qui comme eux avaient su réagir assez vite, ils se précipitèrent vers la brèche. Hélas, ils furent bloqués par la survenue des soldats du baron. Dans une bousculade sans nom, Clivi fut renversée et piétinée. Quand enfin elle réussit à se relever, son aïeul n'était plus avec elle. Elle l'appela, le chercha, et à nouveau fut projetée à terre.

Au cœur de la bataille, Fibhur faisait tournoyer son épée, mais il ne songeait qu'à fuir.

« Poussez-vous ! Écartez-vous, fichtre dieu ! » criait-il.

Soudain, sa monture poussa un hennissement, piaffa, vacilla et pour finir s'effondra comme une masse. Une flèche, tirée de la main même d'un arbalé-trier de Gonkar, s'était plantée dans son cou. Le baron poussa un cri de douleur, puis une série de jurons avant d'appeler à l'aide. Sa jambe gauche atrocement comprimée était coincée sous la bête morte. Il cria et appela au secours à s'en rompre les cordes vocales. Mais dans le tumulte et la pénombre, aucun de ses chevaliers ne l'entendit ou ne put le trouver.

Clivi aussi criait et appelait, en vain.

À mesure qu'ils approchaient de la frontière, les craintes des chevaliers d'Isuldain sur le sort des otages grandissaient, plus encore chez Kendhil qui ne cessait de les inciter à pousser leur monture aux limites du possible. Au détour d'un virage, ils furent enfin en vue de la muraille marquant le bord de l'Empire. Derrière une large trouée, ils apercevaient le fourmillement de la bataille dans la lumière des flambeaux. Mus par un même réflexe, ils tirèrent l'épée.

« Hardi, chevaliers ! Sus à l'ennemi ! s'écria le chef de l'escadron.

– Vous aviez raison, capitaine, s'exclama Kendhil, on ne commerce pas impunément avec les orques !

– Et on ne les combat qu'à armes égales. Restez en retrait, seigneur Kendhil. »

Le jeune elfe ne manquait pas de vaillance, mais il possédait au moins autant de bon sens. Conscient de ne pas être un guerrier aguerri, il se laissa dépasser par les chevaliers d'Isuldain. Quand ceux-ci franchirent la brèche, c'est un poing dévastateur qui s'enfonça dans la mêlée et entreprit d'écraser les orques. Ceux-ci comprirent vite qu'ils avaient cause perdue. Ils se débandèrent sans même un ordre de leur chef, puis s'évanouirent dans la nuit telle une troupe de lâches malandrins. Le fracas des armes fit alors place aux macabres plaintes des mourants.

« Ramenez les morts et les blessés sur le territoire de l'Empire, vite ! » ordonna avec nervosité le capitaine Uslho.

Kendhil ramassa l'une des rares torches encore allumées, puis se mit à la recherche de Clivi et de maître Far. Il ne les trouva ni parmi les sujets de Burgon qui avaient malencontreusement péri, ni aux alentours qu'il explora avec quelques soldats. Nullement rassuré, il retraversa la frontière. Les otages rescapés avaient été rassemblés dans un des champs au bord de la rivière, où ils commençaient à peine à réaliser qu'ils venaient d'échapper aux griffes esclavagistes de l'Obscur. Personne n'avait pourtant le cœur à exprimer sa joie, car nombres des leurs étaient morts durant la bataille. Quelques autres restaient introuvables, dont six maîtres du fer.

« Qui ? Qui a disparu ? » interrogea Kendhil.

Une femme l'aida à recenser les manquants. Au final, ils en comptèrent douze, parmi lesquels Clivi et son grand-père. Aussitôt, le jeune Sentinelle alla trouver le capitaine Uslho pour l'implorer de partir immédiatement à leur recherche.

« Ils ont été transportés dans des cages de fer montées sur des charrettes, argumenta-t-il. Les rattraper ne prendra pas plus de quelques heures.

– Sans doute, mais nous ne refranchirons pas cette frontière, refusa l'officier.

– Pourquoi ?

– Parce que l'empereur nous l'a formellement interdit. C'est écrit dans mon ordre de mission, voulez-vous que je le lise ? »

Kendhil secoua négativement la tête. Depuis qu'il fréquentait des militaires, il avait appris qu'une fois un ordre de leur hiérarchie en tête, ils étaient aussi intraitables que lui-même quand il avait décidé de sauver une adolescente humaine et son aïeul. Autant essayer de convaincre un arbre de cesser de pousser vers le ciel.

Un chevalier de l'armée de Gonkar accourut, porteur d'une nouvelle inattendue :

« Capitaine, le baron Fibhur compte parmi les disparus. Nous l'avons cherché partout et... rien. Les orques l'ont emmené, cela ne fait aucun doute. »

· 19 ·
LE NOUVEAU CLIENT
DE KROM

Jusqu'à l'aube, Kendhil tourna et retourna le problème dans sa tête, sans parvenir à trouver la solution. Si les ravisseurs avaient été de simples humains, où qu'ils se fussent réfugiés dans l'Empire, il les aurait pistés et retrouvés. Avec l'aide des chevaliers d'Isuldain, l'affaire eût été ensuite vite réglée. Mais dès lors qu'il s'agissait d'entrer dans le monde de l'Obscur, toutes les règles du jeu étaient changées, et l'évaluation du risque impossible. Même avec un dragon, il était périlleux de s'aventurer plus de quelques heures au-delà de la frontière, car à chaque instant pouvaient surgir des nuées de créatures volantes, survivantes des plus profondes racines de l'évolution. D'ailleurs, comme le lui avait rappelé quelques heures plus tôt le capitaine Uslho, tout en fixant la brèche d'un air soucieux : « On ne sait même pas ce qu'on peut trouver au détour de son chemin, dès lors qu'on a franchi cette passe. »

Le jeune Sentinelle vivait une nouvelle et pénible expérience, celle du découragement. Le voyant abattu, le regard perdu sur les braises mourantes du foyer devant lequel il avait passé la nuit, le capitaine vint lui-même lui apporter un bol de tikine rouge, une boisson revigorante que les chevaliers d'Isuldain buvaient au réveil. Kendhil l'accepta avec un bref sourire, puis reprit sa contemplation morose du feu.

« Il faut que vous retourniez chez vous, conseilla le chevalier d'Isuldain. Vous ne pouvez plus rien pour vos amis.

– Je le sais. »

L'elfon dévisagea l'officier, puis le questionna :

« Ce que les humains appellent fatalisme, c'est subir un échec sans révolte, n'est-ce pas ?

– Je dirais plutôt qu'il s'agit de la sage acceptation d'une évidence. (Il lui posa une main amicale sur l'épaule.) Il faut savoir surmonter ses deuils, seigneur Kendhil... Mais j'oublie que chez les elfes, le deuil n'existe pas puisque vous ne croyez pas à la mort.

– Détrompez-vous. Nous connaissons les mêmes moments difficiles que vous, lors de la transfose d'un ami ou d'un parent. Mais dans la situation présente, il n'est pas question de mort ou de transfose... Ce que j'éprouve est très différent, et d'une certaine manière plus douloureux.

– Alors vous devez sans doute parler de culpabilité. Mais c'est un sentiment humain que les elfes ignorent, il me semble. »

L'elfon acquiesça et ajouta en pensée : *Sauf moi*. Il leva les yeux vers le ciel et eut beau scruter tous azimuts, il n'aperçut pas son alter ego. Sans doute était-il parti chasser son petit déjeuner. Il eut alors le désir de regagner ses montagnes d'Oriadith. L'idée de retrouver ses semblables Sentinelles, et tout spécialement la jeune Errindha au sourire enchanteur, le réconforta. Il se leva et poussa son cri d'appel... deux fois, trois fois...

Beaucoup trop éloigné du campement, Karlo le sentit plus qu'il ne l'entendit, grâce à ce lien particulier qui unissait deux alter ego d'essence elfique (ou magique, dans le cas d'un dragon d'Hélion). Il en fut grandement contrarié, car il avait repéré depuis un moment une proie fort intéressante, mais qui ne serait pas facile à capturer. Elle galopait vers le sud, par des chemins oubliés qui longeaient la muraille frontalière du côté de l'Empire. Karlo avait pris la précaution de voler aussi haut que le lui permettait le plafond nuageux. Il était cependant certain que son gibier l'avait repéré et chercherait, dès l'instant où il fondrait sur lui, un abri d'où il serait impossible de l'extirper. Il fallait donc ruser. Cela plut à Karlo, mais son ami Sentinelle ne cessait de le réclamer.

« Tant pis, il attendra ! » décida-t-il.

Il replia à demi ses ailes et se laissa aspirer par la pesanteur. La proie cessa de galoper, leva les yeux au ciel pour l'observer. Karlo vira soudain vers le nord, comme s'il avait renoncé à sa traque ou trouvé meilleur gibier. Il finit par disparaître derrière une ligne de collines boisées. Le cavalier scruta encore longuement l'horizon derrière lequel avait disparu le dragon rouge. Il gronda, autant de colère contre ce monstre qu'envers sa propre lâcheté, car il était encore crispé de peur. Ses yeux à l'iris d'un brun très foncé luisaient d'un éclat féroce. Pourtant, cette créature ne l'était pas davantage que le plus ordinaire des êtres humains. C'était sans doute parce que du sang orque circulait dans ses veines, pas assez cependant pour qu'il pût vivre du côté de l'Obscur. À l'inverse, les traits de son visage n'étaient pas assez humains pour que l'Empire lui accordât le droit de s'installer sur son territoire. Telle était la damnation des Sang-gris, n'avoir pour patrie que le bord des mondes et pour seuls compagnons la peur et la rancœur. Il tira sur les brides de sa monture, puis reprit sa course vers le sud. La lande devant laquelle il s'arrêta était aussi sèche et désolée que son cœur. Il hésita à s'y élancer, car elle le mettait à découvert sur une longue distance. Finalement, il éperonna avec violence son étalon pour la traverser au grand galop.

Moins de trois foulées plus tard, un oiseau gigantesque surgit sur sa droite, rasant la cime de grands sapins. Il n'eut que le temps d'écarquiller les yeux avant que deux serres énormes s'abattent sur lui et l'arrachent littéralement de sa monture. En quelques coups d'aile, le dragon avait repris de l'altitude, emportant cette créature hybride qui avait fait de sa monstruosité un métier : entremetteur de l'Obscur.

L'approche par le sud d'un dragon, tenant à bout de pattes une silhouette humaine, créa l'émoi chez les rescapés de Burgon qui crurent à une attaque. Pour les chevaliers de Gonkar, ce fut au contraire une bouffée d'espoir ; peut-être leur ramenait-on leur baron chéri. Le capitaine Uslho et ses chevaliers restaient perplexes, car ce n'était ni un baron ni un vieillard ou une jeune fille qui s'agitait sous le monstre volant. Même Kendhil était bien en peine de deviner quel genre de proie leur apportait son alter ego. Et quand celui-ci la déposa au milieu du camp, il n'en fut pas plus avancé.

L'individu, épuisé de terreur, s'effondra quand le dragon le lâcha. Il resta agenouillé dans l'herbe, la tête basse, le visage dissimulé par de longs che-

veux gras. Durant le vol, il avait perdu son turban et toute envie de se défendre.

« Qui est-ce ? » s'enquit le Sentinelle.

La réponse lui vint d'un chevalier de Gonkar :

« C'est l'entremetteur grâce auquel le baron Fibhur a pu entrer en contact avec les orques. C'est un Sang-gris ! »

Kendhil se fit expliquer ce que signifiait cette expression, puis il demanda à Karlo :

« Pourquoi nous l'as-tu amené ? »

Le dragon écarquilla les yeux.

« Pour ramasser les fraises, pardi ! »

Il enchaîna plus sérieusement :

« Si tu souhaites savoir où tes amis humains ont été emmenés, lui pourra sans doute te le dire.

– Et à quoi cela nous servirait-il ? » demanda Kendhil.

Karlo fronça les deux arcades cornées au-dessus de ses yeux.

« J'avoue que je n'en sais rien, reconnut-il. J'ai agi par instinct. Souhaites-tu que je le ramène à son cheval ? Ou peut-être que j'essaie de lui apprendre à voler ? »

Ignorant ces suggestions, un brin crispantes, Kendhil se tourna vers l'officier des chevaliers d'Isuldain.

« Qu'en pensez-vous, seigneur Uslho ?

– Interrogeons-le. Sait-on jamais. »

Le Sang-gris ne se fit pas prier pour parler, puisqu'il n'avait aucune raison de cacher quoi que ce soit. Hélas, ce qu'il révéla, comme le craignait Kendhil, n'apporta qu'un surcroît de regret de ne pouvoir secourir les captifs. Quand l'entremetteur se tut, un pénible sentiment d'impuissance étreignit les esprits. Même Karlo ne sut que dire pour rompre ce pesant silence. Ce fut quand même lui qui reprit la parole :

« Et maintenant, que fait-on de cette créature ? »

Le Sang-gris lança des regards apeurés tout autour de lui, comme s'il était cerné de prédateurs impatients de le dévorer.

« Voyons... Si nous le relâchons, réfléchit à voix haute le capitaine Uslho, il poursuivra ses activités criminelles. Il se mettra en quête d'un nouveau client, et le malheur s'abattra sur d'autres innocents... »

Kendhil eut un haut-le-corps. Karlo l'aperçut et s'inquiéta :

« Que t'arrive-t-il ? »

L'elfe le regarda un court moment, puis répondit avec un léger sourire de satisfaction :

« Je crois que j'ai la solution ! »

L'assistance attendit la suite, le Sang-gris tout spécialement, car il sentait qu'il y avait sa part. Il fut pourtant surpris d'être directement interpellé par l'elfe :

« Avez-vous un nom ? »

L'entremetteur hésita avant de répondre, comme si cela pouvait cacher un piège.

« Krom, finit-il par lâcher.

– Eh bien ! Krom, vous avez trouvé votre nouveau client. Moi. »

LE CONTRAT DE TOUS LES DANGERS

Clivi poussa un cri et courut se réfugier au fond de la cabane. Surpris, l'orque réfléchit quelques instants, puis décida de ne pas employer la force, pas cette fois. Il déposa sur un tabouret, seul meuble de la geôle, l'écuelle qu'il était chargé d'apporter à la prisonnière, et s'en alla, refermant avec soin derrière lui la porte de planches mal jointes. Dans l'assiette agonisait un rat noir, dont les pattes antérieures étaient agitées de soubresauts. Brusquement, la jeune fille se leva et renversa d'un coup de pied l'immonde gamelle. Cela faisait trois jours qu'elle refusait de manger, depuis que les esclavagistes de l'Obscur s'étaient mis en tête de lui changer son régime alimentaire. C'était une punition, après qu'elle eut asséné un coup de pelle sur la tête d'un gardien. Sans l'intervention vigoureuse d'un des chefs de la mine, sa victime lui aurait sûrement arraché les yeux, les oreilles, et pour finir la tête. Depuis lors, elle était consignée dans ce taudis insalubre.

Son seul et mince réconfort était de savoir que son grand-père et les maîtres du fer n'étaient pas loin. Elle les apercevait chaque matin traverser la grande cour, enchaînés les uns aux autres, le cou alourdi par un énorme joug de bois. Ils étaient ainsi conduits dans un bâtiment de pierre, où ils devaient donner le meilleur de leur art pour transformer du minerai de fer en robustes pièces de métal. Elle avait appris de son aïeul qu'ils travaillaient à la mise au point d'engins de guerre révolutionnaires : des bouches à feu, en forme de gros tubes fermés d'un côté, capables d'expédier des projectiles à une portée bien supérieure à celle de n'importe quelle catapulte classique. Le danger était considérable de voir un jour ces instruments infernaux semer la dévastation dans l'Empire. Les six maîtres du fer que les orques avaient réussi à kidnapper en étaient bien conscients, mais ils n'avaient pas encore trouvé le moyen de saboter cette entreprise sans en subir les plus atroces conséquences, à moins de réussir un suicide collectif.

Mais comment faire quand on est jour et nuit surveillé et entravé ?

Clivi était tranquille en dehors des quelques instants où on lui apportait sa pitance. Elle passait une grande partie de son temps à observer l'extérieur, par les fentes de sa cellule. Elle avait ainsi pu se faire une idée assez précise des lieux où les avaient emmenés les orques. Il s'agissait d'une mine à flanc de montagne, qui se présentait comme une immense plaie rocheuse, criblée à diverses hauteurs d'entrées de galeries. Pour y accéder, des escaliers avaient été taillés dans la paroi. Des passerelles de rondins les reliaient parfois entre elles. Le minerai était acheminé depuis les entrailles de la montagne vers un bâtiment central, par un ingénieux système de cordages, de poulies et de pylônes, qui assurait le va-et-vient des nacelles. Les humains n'étaient pas très nombreux et le plus souvent affectés à des tâches nécessitant moins de force, mais plus d'intelligence. Le gros du travail était assuré par des centaines d'esclaves humanoïdes, sortes d'hybrides de trolls et de primates géants. Au milieu de ce décor démesuré, les hommes paraissaient minuscules et bien vulnérables. Eux seuls faisaient l'objet d'une attention soutenue de la part des gardes-chiourmes, qui ne les maltraitaient jamais par sadisme, seulement pour les punir en cas de faiblesse ou de rébellion. Clivi s'était rendu compte que les orques n'éprouvaient pas plus de compassion pour leurs esclaves, que les sujets de l'Empire pour leurs animaux de trait ou de boucherie. Elle songea que si elle survivait à cette épreuve et rentrait à Burgon, elle ne regarderait sûrement plus de la même manière les bêtes qu'on épuisait sans vergogne dans sa propre cité.

L'estomac tenaillé par la faim et l'angoisse, elle retourna s'asseoir dans un coin où elle avait entassé

des lambeaux de tissu qui lui servaient de couche. Elle se surprit à penser que son calvaire et celui de ses compatriotes ne durerait pas, parce qu'on allait venir les délivrer. Comment pouvait-elle encore y croire ? Peut-être parce qu'ils n'étaient pas si éloignés de la frontière, deux jours à peine de marche, et surtout parce que sa confiance en Kendhil et son puissant dragon restait intacte. Elle ferma les yeux et se força à retrouver le beau visage de l'elfe d'Oriadith. Elle en éprouva un merveilleux apaisement...

L'entrée brutale d'un orque la tira du sommeil en sursaut. Éructant quelque ordre dans son dialecte guttural, il l'attrapa par un bras et l'obligea à se lever. Il lui passa un joug au cou, puis comme on mène un bœuf à la foire, lui fit traverser la cour où régnait un brouhaha infernal de cris et de grincements de poulies rouillées. Par une porte cochère, puis un portillon à droite, il la fit entrer dans le bâtiment où travaillaient les maîtres du fer. Elle sut aussitôt pourquoi on l'avait conduite là : près d'un établi dressé le long d'un mur, son grand-père gisait sur le sol de brique noire, suffoquant, une main crispée sur le cœur. Elle se précipita en criant et en pleurant.

« Soigner ! glapit l'orque. Remettre au travail ! »

Krom fit signe à Kendhil de se baisser. Lui-même s'allongea sur le sol recouvert d'aiguilles de sapin, rêches et piquantes. L'instant suivant, un homme les rejoignit. Derrière eux, de nombreuses silhouettes s'accroupirent qui toutes portaient une cape brune, capuche rabattue sur la tête.

« Vous y voilà, chuchota le Sang-gris. Ma tâche est accomplie, je vous laisse. Bonne chance. »

Kendhil rejeta en arrière son capuchon et le poignarda droit dans les yeux d'un regard lourd de menace :

« Malheureusement pour vous, votre service n'est pas terminé. Nous ne vous demandons pas de combattre vos semblables...

– Les orques ne sont pas mes semblables, contesta l'entremetteur.

– Mais nous pourrions avoir besoin de vos talents d'interprète, enchaîna l'elfe, sur le même ton ferme. Restez et vous serez payé intégralement. Le seigneur de Burgon n'a qu'une parole, vous le savez.

– Surtout quand elle est garantie par des chevaliers d'Isuldain », précisa, sarcastique, l'homme qui s'était avancé à leur hauteur.

Krom serra les dents, mais n'insista pas. De toute façon, il savait qu'il n'avait pas le choix, avec ce maudit dragon qui veillait sur l'expédition et le surveillait, lui, tout particulièrement. L'elfe s'adressa au personnage à sa droite.

« Seigneur Igmar, ça va être à vous de jouer, si je puis dire. »

Le chef des Maraudeurs rejeta à son tour sa capuche sur sa nuque.

« Le terme me convient. Mais je ne garantis pas que ce sera une partie de plaisir. Les orques sont malgré tout nombreux. Il est surtout difficile de prévoir comment vont réagir leurs bêtes de somme.

– Je suppose que l'effet de surprise nous permettra de prendre très vite le contrôle de la situation.

– Les Maraudeurs ont leur tactique, maintenant bien éprouvée. Nous allons nous infiltrer sur ce site et égorger un maximum d'ennemis avant que ne soit donnée l'alerte. Il faudra alors faire vite, pour trouver, rassembler et emmener vos amis. Nous n'avons mis qu'une journée à l'aller, parce que nous progressions au pas de course. Avec des hommes et des femmes affaiblis, certains étant peut-être blessés, deux jours seront sûrement nécessaires pour le retour.

– S'il faut tout ce temps, alors aucun d'entre nous ne survivra, estima Krom.

– Pourquoi ? demanda Kendhil.

– Parce que les orques, eux, pourront courir. Mais ce n'est peut-être pas eux que nous aurons le plus à craindre, surtout s'il n'en reste pas un seul pour aller prévenir leur seigneur de tribu. Le danger, ce sont les ourkics. Ils sont à peine plus grands qu'un aigle, mais beaucoup plus voraces et toujours très nombreux. Il est encore temps de renoncer...

– Quand un Maraudeur a accepté un contrat, il va jusqu'au bout. Et s'il s'est trompé, tant pis pour lui », conclut Igmar le Preux.

Il se retourna en dégainant une dague longue et effilée. Ses hommes l'imitèrent, dans un chuintement métallique à peine audible.

« Restez près de moi, seigneur Kendhil », recommanda le chef des mercenaires.

Ce à quoi l'elfon répliqua :

« Bien sûr ! Afin que je puisse veiller sur vous.

– Merci, compagnon, dit Igmar le Preux en souriant. Mais qui veillera sur lui ? » s'inquiéta-t-il en désignant le Sang-gris.

Kendhil regarda ce dernier qui s'efforçait de rester impavide.

« Je suppose qu'il restera neutre, n'est-ce pas, Krom ?

– Cela dépend. Je ne suis pas un guerrier, mais si un orque s'intéresse de trop près à moi, il ne verra pas tomber la prochaine nuit. Allez accomplir votre affaire, je ne bougerai pas d'ici. Foi de Sang-gris ! »

Ce fut à lui d'esquisser un sourire, mais dans la pénombre de ce matin triste, il eût été bien hasardeux de parier sur ce qu'il avait vraiment en tête.

• 21 •
LA MALCHANCE
DE KENDHIL

Une centaine d'hommes encapuchonnés quittèrent l'ombre de la forêt, puis se divisèrent en plusieurs flots qui se dirigèrent chacun vers un objectif : une masure de planches, un bâtiment en dur vibrant du martèlement d'une presse de forge, un bosquet de ronces ou encore le socle de pierre d'un château d'eau. Le premier orque qui périt avait eu le malheur d'aller fouiner derrière un mur, croyant avoir entendu un rat. Il eut à peine le temps de voir la lame qui lui ôta la vie. Kendhil, Igmar et une dizaine de Maraudeurs coururent se poster derrière le muret de pierre d'une citerne, installée à quelques pas d'un grand bâtiment gris, tout en longueur, aux ouvertures obturées par des grillages. Celui-ci devait être d'une importance particulière, car il était en bon état. Pour y entrer, ils avaient le choix entre trois porches identiques. Sous la galerie du plus proche attendait une mule noire, attelée à une plate-forme montée sur d'antiques roues pleines.

D'un geste, Igmar le Preux ordonna l'assaut. Kendhil sentit son cœur ralentir et une force mystérieuse s'emparer de son esprit, une pulsion animale où se mêlaient la rage et, bizarrement, la faim. Trois orques se tenaient sous la galerie. Ils eurent le temps de dégainer leur singulière épée à lame ondulée, mais pas celui de s'en servir. Le Sentinelle se dit que les Maraudeurs étaient d'une vélocité presque aussi stupéfiante que celle d'un elfe. Derrière Igmar le Preux, Kendhil franchit une porte basse et se releva dans une vaste fonderie à la charpente noire de suie. Elle était encombrée d'un fatras indescriptible de tables chargées d'outils et de pièces de métal, de machines d'une étonnante complexité qui devaient servir à pilonner, couper, façonner le fer chauffé à blanc. Partout traînaient des objets qui semblaient abandonnés ou oubliés depuis des lustres, tels ces trains de roues en attente de montage ou ces moules de terre noircis par le feu. Dans le fond rougeoyaient les foyers de plusieurs forges, sur lesquels se découpaient les silhouettes d'esclaves à demi nus. Devant les établis et sur les machines, travaillaient des humanoïdes dont le torse et le dos poilus dégoulinaient de sueur.

Un cri fusa :

« Kendhil ! »

Clivi s'était redressée en apercevant l'elfon qui venait de faire irruption avec plusieurs hommes en cape brune, arme au poing. L'échauffourée qui

opposa ces derniers aux quelques orques présents dura peu, mais très vite accoururent du fond de la salle d'autres adversaires. Et ceux-là furent beaucoup plus difficiles à éliminer. Un Maraudeur y perdit la vie, et Igmar le Preux fut légèrement blessé à la cuisse droite. Kendhil alla aider maître Far à se relever.

« Ça ne va pas ? s'enquit-il.

– Un peu d'épuisement, mais je peux marcher », répondit le vieil homme en hochant la tête.

Son teint blême et sa fébrilité affirmaient le contraire. Sa petite-fille s'accrocha au bras de l'elfe et, en larmes, se blottit contre lui.

« Oh, Kendhil, merci ! Je savais que vous ne nous abandonneriez pas.

– Nous devons rassembler tout le monde et partir au plus vite, déclara l'elfe. Vous êtes une douzaine à avoir été emmenés par les orques, c'est bien ça ?

– Oui. Les maîtres du fer sont tous dans ce bâtiment, ainsi que les deux forgerons. Les autres travaillent ailleurs dans la mine. J'ignore où. »

Le Sentinelle observait avec inquiétude le comportement des esclaves humanoïdes, alors qu'autour d'eux les orques se faisaient massacrer. Certains paraissaient s'amuser de la situation, comme d'un plaisant spectacle de foire, d'autres semblaient hésitants, penchant plus sûrement pour fuir que pour intervenir. C'est du moins ce que voulut croire Kendhil.

« Sortons, suggéra-t-il. Maître Far, je vais vous porter.

– Non, non, ça ira...

– Bien sûr que ça ira ! » s'exclama Kendhil, enthousiaste.

Il chargea sur son dos le vieil homme qu'il trouva étonnamment léger et sortit de la forge.

Dans la cour de la mine, les cris et le cliquetis des duels à l'épée avaient remplacé le gémissement des poulies et le fracas du minerai déchargé dans les broyeurs. Aucun orque ne fut épargné, mais on signala la fuite d'au moins trois d'entre eux. Soutenu par l'un de ses hommes, Igmar le Preux ne cacha pas son inquiétude :

« Si nous ne partons pas tout de suite, nous donnerons raison à Krom sur nos chances de regagner l'Empire sains et saufs. »

Considérant l'état misérable dans lequel se trouvaient les Burgonnais, auxquels étaient venus s'ajouter une centaine d'esclaves humains encore plus décharnés, il ajouta sombrement :

« En vérité, je me demande si nous n'avons pas déjà perdu. »

Kendhil n'était pas loin de penser de même. Son

attention fut alors attirée par la course d'une mule effrayée.

« Prenons les montures des orques ! s'écria-t-il. Ils doivent bien les avoir parquées quelque part.

– Les Maraudeurs ne savent pas monter à cheval, fit remarquer Igmar le Preux.

– La première fois que me suis retrouvé sur le dos d'un cheval, moi non plus je ne savais pas, et je ne suis tombé que deux fois ! Depuis, ce n'est plus jamais arrivé. »

Le chef des Maraudeurs dut prendre une profonde inspiration pour se donner du courage, avant d'ordonner à ses hommes de ramener « tout ce qui marche sur quatre pattes et peut supporter le poids d'un homme » ! Kendhil échangea un sourire avec Clivi. Le regard de la jeune fille l'intrigua beaucoup, peut-être parce qu'il lui rappelait celui avec lequel Errindha le dévisageait parfois. Par quelque bizarre association d'idées, il repensa tout à coup à celui par qui le malheur était arrivé :

« Savez-vous si Fibhur était avec vous ?

– Oh oui ! répondit Clivi. Il n'a cessé de gémir et de crier. Il a été affecté à l'une de ces galeries.

– Savez-vous laquelle ? » demanda l'elfe en considérant la multitude d'ouvertures dans la paroi rocheuse.

La jeune fille pointa l'une d'elles de l'index.

« La dernière fois que je l'ai vu, c'est dans celle-là qu'un orque l'a poussé.

– Merci. Je vais le chercher. »

Clivi le retint par un bras.

« Pourquoi faire ? Il est à sa place ici. Ce n'est que justice.

– La Justice de l'Obscur ne peut remplacer celle de l'empereur », déclara l'elfon.

Sans attendre une éventuelle réplique, il s'éloigna.

Le Sentinelle se retrouva bientôt sur le seuil de la galerie que l'adolescente lui avait désignée. Taillée en trapèze, elle s'enfonçait en droite ligne dans une roche noire et rugueuse. Il hésita quelques instants avant de s'y engager, tant cette bouche de ténèbres exhalait la sueur et la peur. Il parcourut les premiers mètres en courant, mais bientôt l'obscurité totale l'obligea à marcher, se guidant de la main droite sur les parois du tunnel. Des bruits sourds de pics frappant la terre résonnaient dans le lointain, comme une pulsation cardiaque, et l'air se chargea d'une moiteur étouffante, si bien qu'il éprouva la pénible sensation d'avoir pénétré dans la gorge d'un dragon.

Après quelques minutes d'une progression de plus en plus prudente, il devina le rayonnement

d'une torche au fond d'un boyau s'ouvrant à droite. Il s'y engagea et finit par distinguer des formes humaines. Deux d'entre elles se tenaient debout, de dos, mains sur les hanches, attendant sans doute que redémarre le dispositif de transport du minerai fixé au plafond. Kendhil tira sa dague et s'arrêta. Comment devait-il agir ? Apparemment, il y avait une dizaine d'individus au fond de ce tunnel, dont trois humanoïdes. Il regretta un instant de ne pas avoir autorisé les Maraudeurs à l'accompagner, puis décida de prendre le taureau par les cornes :

« Baron Fibhur, êtes-vous là ? » cria-t-il.

Les hommes-trolls firent volte-face.

« Baron Fibhur, répondez ! Je suis Kendhil, l'elfe d'Oriadith. »

Enfin, une voix retentit :

« Kendhil ? Mais... je... je rêve ou est-ce que je deviens fou ?

– Ni l'un ni l'autre, et vous feriez bien de vous hâter de me rejoindre, parce que nous n'avons que très peu de temps.

– J'arrive ! »

Un homme au torse nu maculé de terre, à demi chauve, tenta de se faufiler entre les deux gardiens humanoïdes qui obstruaient le passage. N'étant pas du tout préparés à ce genre de situation, ils restèrent sans réaction, pareils à des bœufs idiots. Ils avaient été dressés pour creuser et faire creuser, pas pour empêcher les esclaves humains de fuir, tâche dévolue aux maîtres orques. L'un d'eux eut tout de même le réflexe d'attraper le baron par un bras.

« Mais lâche-moi donc, idiot ! C'est un ami ! » protesta le prisonnier.

À voir son air ahuri, le troll ne comprit rien à cette explication.

« Y a-t-il des orques, ici ? questionna Kendhil.

– Non, ils n'entrent jamais dans les galeries, à cause des effondrements, répondit le baron, grimaçant de colère et de douleur, car le gardien lui broyait le biceps. Comment avez-vous fait pour arriver là, ils gardent toutes les entrées ?

– Il n'y a plus d'orque pour garder qui que ce soit dans cette mine.

– Formidable ! Il faudrait que cette créature me lâche. »

Le baron rua et jura, mais l'humanoïde semblait décidé à garder près de lui son camarade de peine. Kendhil avança et lui piqua le dos de la pointe de sa dague. Il obtint certes la libération du baron, mais aussi un retentissant hurlement de fureur. Le troll fit volte-face et voulut l'attraper avec l'une de ses énormes mains. Dans un mouvement réflexe, le Sentinelle recula vivement. Il trébucha et tomba sur les fesses. Son adversaire en profita pour le saisir par le pied et l'attirer à lui. L'instant suivant, une lame elfique s'enfonçait dans son ventre. Après un

moment de stupéfaction, l'humanoïde s'effondra comme une masse, en poussant un unique et bref beuglement.

« Bravo, seigneur elfe ! s'exclama Fibhur. À nous la liberté ! »

Kendhil se releva, soulagé mais les jambes un peu molles. Le baron lui passa sous le nez, exultant.

« Vous venez ? lança-t-il d'une voix enjouée. Quand je serai de retour chez moi, je vous offrirai un beau cadeau... un arc avec un joli carquois plein de flèches ! »

Alerté par son instinct, Kendhil tourna la tête vers le fond de la galerie. Il vit alors l'un des deux autres humanoïdes lever un bras. Le temps qu'il comprenne, il était trop tard. La pierre que la créature avait lancée l'atteignit en plein front. Les ténèbres envahirent son esprit.

Fibhur se retourna, afficha une mine contrariée. Il poussa un juron, revint sur ses pas, regarda les humanoïdes qui se montraient nerveux, mais indécis ; ils n'avaient pas envie de subir le même sort que leur congénère. Le baron regarda le jeune elfe étendu sur le dos, puis haussa les épaules :

« Tant pis, on dira que vous n'avez pas eu de chance », marmonna-t-il.

Et il partit, seul.

• 22 •

RETOUR VERS L'ENFER

Dans la cour de la mine, les Maraudeurs avaient achevé de massacrer les orques et de rassembler les esclaves humains. Les chevaux et les mules étaient là aussi, en assez grand nombre pour transporter tout le monde. L'optimisme avait gagné les cœurs, et l'on n'attendait plus que le retour de l'elfe pour se mettre en route. Malheureusement, ce n'est pas un Sentinelle d'Oriadith qui finit par apparaître à l'entrée d'une galerie du deuxième niveau, mais un homme couvert de crasse, à demi chauve, à la peau flasque et qui, épuisé, manquait de souffle pour crier sa joie.

« C'est ce maudit baron, marmonna Igmar le Preux.

– J'aurais dû m'en douter ! s'exclama Fibhur qui avait déjà retrouvé toute sa vigueur. Les Maraudeurs ! Il n'y avait que vous pour accepter une telle mission. Bravo ! Bravo à vous !

– Où est Kendhil ? l'interpella Clivi.

– L'elfe ? Par tous les dieux, comment vous annoncer ça ? Il est mort. Les orques-mineurs lui ont fracassé la tête à coups de pierre, ils lui ont mis la cervelle en bouillie. J'ai pourtant tout fait pour les arrêter, mais... C'était affreux ! »

La jeune fille sentit ses jambes se dérober. Un Maraudeur la retint dans ses bras et l'aida à aller s'asseoir sur le socle d'un pylône. Fibhur avait au contraire des ailes pour dévaler les escaliers jusque dans la cour, puis enlacer et congratuler tous les mercenaires en cape brune à sa portée.

« Il faut partir, décréta Igmar le Preux, dont le visage livide trahissait un état de tension extrême. Tout le monde en selle. Vite ! »

Alors quelqu'un cria :

« Regardez ! Là-haut ! »

C'était un des maîtres du fer qui, d'un index tremblant, désignait l'entrée de la mine d'où était sorti le baron. Un des orques-mineurs s'y tenait, transportant dans ses bras le corps inerte de l'elfe d'Oriadith, marqué au front par une large ecchymose rougeâtre. Son congénère sortit à son tour. Avec un air ahuri, les deux créatures descendirent dans la cour. Un Maraudeur tenta d'approcher celui qui portait l'elfon, mais il essuya une violente rebuffade.

« Où être maîtres orques ? » baragouina le mineur.

En guise de réponse, un gigantesque dragon rouge s'abattit sur lui et le renversa. Dans un rugissement terrifiant, le monstre saisit l'humanoïde entre ses puissantes mâchoires et l'expédia au loin. Il resta quelques secondes immobile et silencieux, penché sur son alter ego, humant, comme pour comprendre pourquoi il ne bougeait plus. Enfin, il releva le cou et annonça à Igmar le Preux.

« Je l'emmène. Si je peux revenir pour vous protéger, je le ferai. Bonne chance. »

Le chef des Maraudeurs le salua à la manière elfique, puis renouvela d'une voix forte l'ordre du départ. Le dragon cueillit délicatement son jeune compagnon dans les serres de ses pattes antérieures. Alors qu'il ouvrait les ailes pour s'envoler, Clivi se précipita en hurlant :

« Karlo, emmenez-moi avec lui ! S'il vous plaît. »

Les sanglots étouffèrent ses supplices. Le dragon consulta du regard maître Far, qui ne put que murmurer tant sa fatigue était grande :

« Oui, s'il vous plaît. Prenez soin d'elle. »

Karlo s'éleva d'une ou deux coudées au-dessus du sol. Il referma ses serres sur le corps frêle de la jeune humaine, puis s'envola à grands coups d'ailes.

À peine était-il parti, que retentirent dans le cirque de la mine de nouveaux cris :

« Lâche-moi ! Maudit chien, ôte tes sales pattes ! À moi ! Amis Maraudeurs, tuez cette bête ! Libérez-moi ! »

Le second humanoïde, répondant sans doute à son instinct de gardien de mine, s'était emparé du baron, l'avait jeté par-dessus son épaule et l'emportait à présent vers sa galerie, tel un enfant fugueur qu'on ramène à l'école. Frappant à coups de poing son ravisseur insensible à la douleur, le baron supplia, injuria, appela, geignit... en vain. Il cessa d'un coup de se débattre quand, à l'instant de disparaître dans le souterrain de sa damnation, il vit les esclaves humains libérés et leurs sauveurs Maraudeurs lui tourner le dos et s'en aller.

Ses hurlements furent bientôt étouffés dans les entrailles du monde de l'Obscur.

Lorsque Kendhil rouvrit les yeux, il crut que sa transfose avait commencé et qu'il volait vers quelque horizon mystérieux du paradis elfique. Cependant, plusieurs indices le firent douter. Il y avait d'abord ce puissant vent froid qui lui glaçait le visage, ainsi que ce paysage austère et sombre qui défilait en dessous. Ensuite, il s'étonna de reconnaître, près de son visage, le ventre écailleux de son alter ego. Mais surtout, la violente douleur qui lui vrillait le cerveau était celle d'un être encore doté d'un corps de chair. Il porta la main à son front. Ses doigts palpèrent une bosse énorme, affreusement sensible. Il pressa...

« Ouille !

– Ça y est, le héros est de retour ? » persifla Karlo.

Kendhil se tordit le cou pour lever le regard vers la tête de son ami, mais il ne pouvait en voir que la gorge tendue. De part et d'autre de son énorme corps battaient à un rythme soutenu ses grandes ailes membranées. La voix d'une jeune fille lui valut une seconde surprise :

« Kendhil, vous êtes vivant ! Que notre dieu Jorra en soit loué et vénéré ! Je vous ai cru mort ! »

L'elfon se contorsionna à nouveau, cette fois pour apercevoir la jeune fille que Karlo tenait fermement entre ses serres postérieures.

« Clivi ! Mais qu'est-ce que vous faites là ? »

Ce fut le début d'une longue conversation, qui ne cessa qu'au survol de la muraille séparant l'Empire du monde de l'Obscur. Ils atterrirent à proximité du campement des chevaliers d'Isuldain, au bord de la rivière. Le capitaine Uslho accourut, mais le dragon d'Hélion était déjà reparti, précisant que cette histoire n'était pas tout à fait terminée.

Le reste de la journée, Kendhil le passa dans le plaisir de se faire soigner par la douce Clivi, mais aussi dans l'attente anxieuse du retour des humains et de Karlo. C'est finalement au petit matin que son

alter ego vint leur donner des nouvelles, ou plus exactement chercher du renfort :

« Ils sont à moins d'une lieue de la brèche, annonça-t-il avec une fébrilité qui étonna Kendhil. Si les chevaliers d'Isuldain ne vont pas à leur secours, ils ne franchiront jamais la frontière. Les orques sont sur leurs talons, et j'ai aperçu des nuées d'our-kics qui se rassemblaient au nord. »

Le capitaine des chevaliers secoua la tête, comme pour chasser un mauvais rêve.

« Non, non, je suis désolé, nous ne pouvons pas ! Il faut me comprendre, seigneur dragon, mon devoir est d'obéir à l'empereur. »

Karlo poussa un hurlement si terrifiant qu'il impressionna même Kendhil.

« Allez-vous enfin savoir où est votre devoir, CAPITAINE USLHO ? » rugit-il.

L'officier, blanc comme un linge, recula en bal-butiant des excuses. Karlo préféra s'envoler de peur de céder à la tentation funeste d'attraper cet *homme de devoir* dans sa gueule et de l'emporter rejoindre les fugitifs. Et pourtant, sa colère avait produit son effet puisque le capitaine déclara :

« Entendu. J'ai compris. »

Il reprit contenance, puis s'écria :

« Chevaliers d'Isuldain, au combat ! »

Kendhil fut le premier à obéir et à s'élancer vers la brèche.

Sans se retourner pour s'assurer qu'il ne prenait pas trop d'avance sur la troupe des Chevaliers, il traversa le vaste espace caillouteux où gisaient de nombreux cadavres d'orques, sur lesquels festoyaient de gros charognards bruns. Quand il s'engagea sur la route qui s'enfonçait dans le massif de collines, il eut la sensation que l'obscurité se refermait tout à coup sur lui, comme s'il s'était engouffré dans un tunnel. Ce n'était pourtant qu'un vulgaire chemin sinueux, courant dans un creux de vallon, bordé de grands arbres semblables à des sapins à cette différence près que leur tronc et leurs plus grosses branches étaient couverts d'épines acérées. Mieux valait ne pas rater un virage.

Après une ascension douce mais interminable, il déboucha sur un plateau au relief chaotique. Partout, s'élevaient des protubérances rocheuses qui, tels des crocs de pierre, crevaient une terre aride que se disputaient ronciers et arbustes tortueux. Il explora rapidement le ciel à la recherche de son alter ego, et le repéra en train de fondre vers le sol à une vitesse prodigieuse, comme lorsqu'il s'abattait sur une proie. Il le vit disparaître derrière une élévation de terrain.

À la voix, Kendhil demanda à sa monture de redoubler d'efforts, bien qu'il la sentît exténuée. Il finit par entendre résonner les cliquetis et les éclats de voix caractéristiques d'une bataille. Les humains

avait donc été rattrapés et livraient un combat acharné. Il tira sa dague, s'obligeant à ne penser à rien, c'est-à-dire à faire taire la petite voix de sa raison qui lui commandait la prudence. Bientôt, il aperçut entre des rochers un fourmillement de silhouettes. Il comprit aussitôt la situation : les Marauders combattaient à pied, face à des cavaliers orques qui tentaient de percer la ligne de protection qu'ils avaient constituée devant les Burgonnais. Ces derniers avaient été rassemblés au pied d'une saillie de pierre, formant dans leur dos un véritable rempart. Karlo était de la partie, mais Kendhil n'en voyait que les ailes, battant l'air, et par instants sa tête s'élevant au-dessus des cimes, tenant entre ses mâchoires un orque hurlant. L'ennemi n'était pas à la fête, mais il semblait nombreux et terriblement enragé. C'est alors que l'elfon songea à se retourner. Il constata avec inquiétude que les chevaliers d'Isuldain étaient encore loin, à perte de vue même ! Il regarda à nouveau devant lui. Devait-il continuer sa course folle ou attendre ces renforts ? Le temps qu'il prenne une décision, il était trop tard : trois orques à cheval l'avaient repéré et s'élançaient à sa rencontre, brandissant au-dessus de leur tête leur redoutable épée ondulée.

Kendhil fit stopper net sa monture, qui se cabra en hennissant. Une rapide évaluation du danger lui fit entrevoir sa seule chance de ne pas périr tout de suite... sauter à terre.

À quelques centaines de mètres de là, Karlo était très mécontent. Certes, dans les premiers moments, il avait décimé un nombre fort honorable de créatures de l'Obscur. Mais celles-ci comprirent vite qu'elles devaient rester à distance de ses crocs et de ses serres griffues. Du coup, il ne parvenait plus à attraper que les malchanceux et les maladroits. Et pendant ce temps, les autres s'en prenaient aux humains qu'ils finiraient immanquablement par submerger et massacrer.

Karlo était en train de jouer au chat et à la souris avec un orque qui s'était réfugié sous un rocher, lorsqu'il entendit résonner un cri d'aigle.

« Kendhil ? » lâcha-t-il en relevant la tête.

Sans se poser plus de questions, il décolla.

Il ne mit pas longtemps à repérer son alter ego, mais la configuration du terrain ne lui permettait pas d'atterrir ou de le cueillir comme un lapin. Il l'apercevait qui détalait entre des arbres et des rochers pointus comme des pics, poursuivi par trois cavaliers noirs. Il finit par comprendre que le jeune elfe ne cherchait pas à fuir, mais à isoler l'un de ses

poursuivants afin de se retourner contre lui et de l'occire à la première occasion. Celle-ci se présenta soudain, au détour d'un dôme de pierre. Prenant à contre-pied le cavalier qui arrivait droit sur lui, il s'agrippa d'une main à son genou dont il se servit pour bondir en croupe derrière lui dans une stupéfiante envolée. Malheureusement, il n'eut pas le temps de l'égorger, car l'habile guerrier se laissa choir sur le côté gauche, entraînant son agresseur dans sa chute. Avec la même souplesse, ils se reçurent sans se blesser, puis se remirent sur pied en un face-à-face tendu, jambes fléchies, prêts à frapper. Il y eut soudain vers la gauche des craquements de branches, des cris de bête qu'on massacre, puis le bruit sourd des battements d'aile d'un dragon... Sans avoir besoin de regarder, Kendhil sut qu'il n'avait plus que deux orques à ses trousses. Celui qu'il avait devant lui s'était figé dans une posture qu'il ne quitterait que pour une passe d'armes assurément mortelle. Ses yeux de primate fixaient l'elfon avec une dérangeante intensité. Mais Kendhil soutint ce regard sombre, bestial et en même temps très humain... non, pas humain... intelligent. Il pensa que le moment était mal choisi pour des considérations anthropologiques. Pourtant, dans la foulée, il fit une autre remarque : la peau grise de cette hominidé était d'un grain étonnamment fin, presque sans défaut...

L'attaque fut foudroyante !

Kendhil sentit la lame ondulée lui effleurer la joue. Cette action, aussi vive que précise, aurait certainement été fatale à un homme, même aguerri. Mais un elfe dispose de réflexes bien supérieurs. Pour autant, cela ne lui donnait pas un avantage décisif sur un adversaire de ce niveau. Il bondit de côté, tenta une feinte... sans succès. Il para à nouveau une attaque, abattit son épée qui écorcha l'orque à l'avant-bras droit, puis recula de quelques pas afin de ramener le combat à la phase d'observation. Cela dura un moment, jusqu'à ce que l'orque perde patience. Beuglant de colère, la bête se rua sur Kendhil comme s'il se fût agi d'un veau récalcitrant à se faire égorger. L'elfe le prit au dépourvu en plongeant à terre. Dans le mouvement, il allongea le bras pour frapper... La lame de sa dague s'enfonça dans une masse molle. Il se releva et se trouva tout étonné d'avoir remporté son premier duel à l'épée avec un cavalier orque !

Karlo s'était chargé du troisième, tandis que de leur côté les chevaliers d'Isuldain joignaient leurs forces à celles des Maraudeurs. Bientôt, ne résonna plus sur le site de cette glorieuse bataille que les cris de victoire et les pleurs de joie des humains. Jusqu'à ce qu'une voix s'écrie :

« En voilà d'autres ! »

Puis une seconde, presque aussitôt après :
« Regardez, vers le nord ! Les ourkics ! »

Quelques heures plus tard, c'est au galop que les fuyards repassèrent la frontière. Les orques qui tentèrent de les pourchasser sur les terres de l'Empire ne virent pas tomber la nuit suivante. Quant aux volatiles carnassiers, Karlo en fit un festin, telle une baleine dans un banc de krills, suivi d'une indigestion qui l'indisposa les trois jours suivants !

ÉPILOGUE

Moins d'une heure après le retour en terre d'Empire, Igmar le Preux pénétra dans la tente où Kendhil et la jeune Clivi, le capitaine des chevaliers d'Isuldain et quelques maîtres du fer s'étaient réunis pour partager une collation. Il venait annoncer qu'il repartait avec ses hommes.

« Vous ne venez pas avec nous ? s'étonna le jeune Sentinelle.

– Nous n'avons plus rien à faire dans cette région.

– Et votre rétribution ? Le seigneur de Burgon ne l'a certes pas acceptée de bonne grâce, mais il m'a assuré qu'il respecterait sa part de contrat.

– Nous y renonçons, car ce n'est pas la compagnie des Maraudeurs qui a accompli cette mission, mais les anciens de la légion d'Hugon.

– La différence ? »

Le Maraudeur baissa les yeux.

« C'est une longue et cruelle histoire que la nôtre. Elle remonte aux temps où nous étions des

soldats d'honneur au service d'un noble roi... Je vous la conterai une autre fois, seigneur elfe. Que cela vaille pour engagement à nous revoir.

– En de plus pacifiques circonstances alors, répliqua Kendhil qui n'oubliait pas la part de responsabilité des mercenaires dans cette dramatique affaire. »

Le chef Maraudeur acquiesça avec raideur, puis salua le capitaine Uslho, mais il ignora les Burgonnais présents. Ensuite, cape brune battant ses talons, il quitta la tente avec le pas volontaire d'un guerrier pressé de retourner au combat :

« Nos routes aussi risquent de se croiser à nouveau, murmura l'officier, comme pour lui-même. Mais il n'est pas certain que ce sera pour échanger aimablement sur nos souvenirs de guerre. »

Il informa ensuite Kendhil qu'une escorte réduite de chevaliers d'Isuldain les accompagnerait jusqu'à Burgon. Lui-même devait retourner à Merr-Mont où il rédigerait un rapport à l'attention de son supérieur, le seigneur Archémidia. Kendhil y vit une belle opportunité pour retourner à Éa-Kyrion et revoir Élissande Ona.

« Si vous le voulez bien, je serai votre messager, proposa-t-il. Avec Karlo, votre rapport sera sur le bureau de l'empereur en un temps record. »

Après un court temps de réflexion, le capitaine accepta. Et on le vit se détendre et sourire. Avec un tel ambassadeur, il était un peu rassuré sur ses chances d'être pardonné d'avoir enfreint les ordres de l'empereur.

C'est effectivement ce qu'il advint, car Kendhil sut se montrer convaincant lorsqu'il expliqua, quelques jours plus tard, au Premier chevalier d'Isuldain que la bataille décisive s'était déroulée « non loin de la frontière, on peut même dire tout près ». Nullement dupe, Archémidia accueillit la précision avec un air entendu, mais bienveillant. Il promit même de féliciter personnellement le capitaine Uslho.

Mais tout cela était de moindre importance aux yeux de Kendhil qui n'avait qu'une pensée en tête, s'entretenir seul à seul avec l'elfe d'Errundhil. Il ne le put qu'à l'heure du départ, lorsque la dame le raccompagna dans la cour herbeuse, derrière le palais impérial où Karlo se faisait amoureusement bichonner.

« Dame Élissande, il est une énigme que j'aimerais résoudre, déclara-t-il tout à coup, comme cédant à une impulsion.

– Je sais », répondit-elle en le dévisageant avec ses fascinants yeux bleu nuit.

Elle avait deviné qu'il faisait allusion à sa singularité et donc au mystère de ses origines.

« M'aiderez-vous ? demanda-t-il.

– Si je le peux, bien sûr. Sans doute devrez-vous commencer par vous rendre là où elle a pris naissance, sur le plateau d'Hélion. »

C'est ainsi que Kendhil sut quelle serait la destination

de son prochain voyage loin des montagnes d'Oriadith. Mais il n'en informa personne, pas même Karlo.

Ce qu'il advint ensuite, l'elfon n'en retint que quelques moments, sur lesquels il acheva le récit qu'il faisait de son périple en terre humaine au vénérable Guenth ainsi qu'à ses frères Sentinelles. Il évoqua les retrouvailles émouvantes à Burgon, « un grand moment de triste joie », selon son expression. Puis il évoqua brièvement l'apparition inattendue, un matin, sous les murs de la cité minière, de l'entremetteur Krom. Contrairement aux Maraudeurs, il venait réclamer son dû, qui lui fut remis, sans honneur ni sourire.

En revanche, Kendhil ne dévoila à personne, enfin... presque personne, ce dernier petit événement qui marqua l'heureux dénouement de son aventure. Un soir à Burgon, sur les remparts où il flânait avec Clivi par une nuit fraîche, étoilée, propice à toutes les audaces, ils s'assirent sur un banc de pierre. La jeune humaine se mit alors à considérer l'elfon avec dans le regard une émotion qui faisait battre son cœur très fort.

« Kendhil, vous allez devoir rentrer chez vous, n'est-ce pas ?

– Ce n'est pas un devoir, c'est un bonheur, déclara ingénument le Sentinelle intrigué.

– Alors j'aimerais que vous emportiez un souvenir de moi, que vous n'oublierez jamais.

– Bien volontiers. De quoi s'agit-il ? »

En guise de réponse, elle prit entre ses douces mains le visage de l'elfe. Elle le contempla encore quelques instants puis, avec une infinie délicatesse, approcha ses lèvres et les posa sur celles de Kendhil. Ce dernier eut un étrange frisson. L'expérience lui parut si « spéciale » qu'il réclama un deuxième souvenir. Puis un troisième. À la vérité, cela dura une bonne partie de la nuit.

Kendhil n'avait donc pas confié à ses semblables cet événement très personnel, mais fort marquant. Une fois ses obligations accomplies auprès des siens, il proposa à Errindha de l'accompagner pour une promenade dans la montagne. La jeune elfe accepta avec enthousiasme. Ils finirent par s'asseoir dans l'herbe soyeuse, d'où ils admirèrent longuement le vol planant des aigles au-dessus des Crocs d'Oriadith. Puis soudain, Kendhil se lança :

« Les humains pratiquent un jeu que j'ai trouvé un peu bizarre, mais très intéressant, dit-il en forçant un ton neutre.

– Ah ? Alors, apprends-moi.

– Ils l'appellent "le souvenir". Je vais te montrer. »

Errindha trouva cela en effet très intéressant. Elle réclama une deuxième démonstration, puis une troisième...

Et pour eux, cela dura... un certain temps !

FIN...

TABLE

RÉALISATION : NORD COMPO À VILLENEUVE-D'ASCQ
DÉPÔT LÉGAL : MARS 2009
ACHEVÉ D'IMPRIMER EN JANVIER 2009
SUR LES PRESSES DE RODESA EN ESPAGNE